LE NÉANT QUOTIDIEN

Zoé Valdés raconte l'histoire d'une jeune femme qui lui ressemble à s'y méprendre, depuis sa naissance très patriotique à Cuba, le 2 mai 1959, au lendemain d'un glorieux défilé des travailleurs, jusqu'à cette soirée ultime où, trente ans plus tard, en pleine "période spéciale" (privations, pénurie, liberté précaire), les deux hommes de sa vie vont jouer aux échecs le privilège de finir la nuit avec elle. Dehors – dernier terme de cette éducation sentimentale et politique à la cubaine – l'attend la mer immense, par où se sont déjà enfuis les amis chers…

Tour à tour révolté, lyrique, provocant et désespéré, *Le Néant quotidien* est de ces textes qui semblent écrits dans l'urgence de tout dire pour sauver ce qui peut l'être encore.

ZOÉ VALDÉS

Née à La Havane en 1959, philologue de formation, Zoé Valdés a travaillé plusieurs années à la délégation cubaine de l'Unesco. Poétesse, romancière, scénariste, elle a publié chez Actes Sud *Sang bleu* (1994), *Le Néant quotidien* (1995), et *La Sous-Développée* (1996) et, aux éditions Textuel, *La Colère* (1996).

En septembre 1997, est parue la traduction française de *Te di la vida entera*, sous le titre *La Douleur du dollar*, qui obtint du jury Planeta le prix Finaliste en 1996.

DU MÊME AUTEUR

Sang bleu, Actes Sud, 1994.
La Sous-Développée, Actes Sud, 1996.
La Colère, Textuel, 1996.
"Conte havanais à dormir debout", in *L'Ombre de la Havane* (sous la dir. de Liliane Hasson), Autrement, 1997.

LE NÉANT QUOTIDIEN

Collection dirigée par Sabine Wespieser et Hubert Nyssen

Titre original :
La Nada cotidiana

ISBN 2-7427-1003-5

Illustration de couverture :
Photographie de N. Reynard

ZOÉ VALDÉS

LE NÉANT QUOTIDIEN

roman traduit de l'espagnol (Cuba)
par Carmen Val Julián
(nouvelle édition)

BABEL

Pourquoi quelque chose plutôt que rien ?

CIORAN

à ma fille Attys Luna, née pendant la période spéciale

I

MOURIR POUR LA PATRIE, C'EST VIVRE

Avoir peur de l'avenir cela nous facilite la mort.

MARGUERITE YOURCENAR

Elle vient d'une île qui avait voulu construire le paradis. Le feu de la violence dévore son visage. Les yeux presque toujours humides, la bouche implorante, comme celle d'une statue de bronze, le nez effilé.

Elle serait comme n'importe quelle autre femme, si elle n'ouvrait les yeux à la manière de celles qui habitent les îles : il y a une tranquille indifférence sous ses paupières. Et elle a aussi un corps tendu, en contradiction avec ses pupilles trop fluides.

Elle n'est pas vraiment belle, mais elle a quelque chose… On ne saurait dire quoi, un rictus d'ironie peut-être, ou une peur plutôt extraordinaire. Elle ne change jamais, elle ne changera pas. Elle va mourir jeune, avec tous ses désirs.

— Comment t'appelles-tu ? lui demande le Chérubin.

Elle croit entendre la voix d'un angelot.

Elle ne répond pas. La mer informe est derrière ses pensées. Elle a soudain oublié son nom. Elle oublie aussi l'angelot.

Tout devient opaque autour de son corps. Ses jambes ne veulent pas avancer. Elle est en lévitation. Ses jambes n'existent pas. Elle-même, existe-t-elle ?

Elle a faim et rien à manger. Son estomac comprend très bien qu'il doit résister. Dans son île, chaque parcelle du corps avait dû apprendre à résister. Le sacrifice était le cadre quotidien, ainsi que le néant. Mourir et vivre : un seul et même verbe, comme rire, par exemple. A ceci près qu'elle riait pour ne pas mourir de l'excès de vie obligatoire.

L'espace devient une nuée blanche et pure. Nous pourrions imaginer un mur fraîchement peint au lait cru. Personne ne s'approche d'elle. D'ailleurs, il n'y a personne, pas même un esprit. Rien qu'elle. Qui se croit toujours vivante.

Très légère, toujours en lévitation, elle trouve un miroir rond et, pour passer le temps, y cherche le reflet de son sexe. Pas de doute, elle est femme. Une petite cicatrice de six points entre la vulve et l'anus lui suffit pour comprendre, elle se souvient d'avoir eu des enfants. Combien ? Aucune idée. Sa mémoire est un gigantesque jardin de pendules, les tic-tac et les cloches sonnant à toute volée l'empêchent d'avoir des souvenirs. Des idées, des idées très étranges s'aiguisent au fil de sa pensée. Des idées ou des sensations créées dans l'instant. Un éventail d'images l'oblige à respirer. Elle est complètement droguée. Elle aime la saveur de la fugue, du voyage vers le vide.

Quand elle retrouve son état normal, elle pleure sans larmes, mais son regard reste noyé, luisant. Le liquide salé ne coule pas sur ses joues. Elle sanglote en caressant ses mains congelées. Au moment où elle croit devoir partir, elle perd toute force… Il faudra toujours partir et perdre ses forces, son espoir… se perdre… soi-même… On doit partir… là-bas, il y aura éternellement un lieu, un pays, qui nous attend… Un néant qui nous attend… un néant attendrissant.

Un Ange blond et séducteur arrive, en lévitation lui aussi. Il s'arrête tout près d'elle. Il lui parle et son souffle parfumé au jasmin lui donne le frisson. La fait rêver, plus que rêver. Elle tombe aussitôt amoureuse.

— Vous êtes tombée ici par accident ? lui demande l'Ange.

— Non, je n'aime pas ce mot… accident… Je suis tombée par hasard.

— Le hasard n'existe plus, chère madame, vous devriez vous méfier de tous ces discours dépassés… Mieux vaut paraître ignorant plutôt que nostalgique.

— De quoi parlez-vous, cher Ange, car vous êtes bien un ange, n'est-ce pas ?

— Mais oui, bien sûr, je suis un ange… Je vous parle de toutes les créatures qui vous ressemblent, à la fois innocentes et coupables… Les créatures conscientes et inconscientes… De nos jours, chère Reine…

— Je ne suis pas une reine…

— Vous en avez tout l'air… chère Reine, je vous disais que de nos jours l'univers est une sorte de déchirement radical. On ne peut être en même temps une chose et son contraire… Il faut être prudent.

Elle ne comprend pas un mot, mais elle trouve qu'il parle comme un être infini… Faux et beau… Inhumain et doux à la fois. Et elle redevient comme avant : une jeune fille confuse face au premier inconnu. A peine a-t-elle envisagé l'obscurité de son passé que l'Ange est foudroyé par un éclair doré.

Elle pleure, accablée, toujours sans larmes. Elle laisse retomber la tête sur ses seins nus. Elle ne porte aucun vêtement, mais n'éprouve aucune honte. Frêle oiseau moribond, elle sait que son enfance est très loin, enfouie au fond d'elle-même, et constate aussi qu'elle n'a pas vieilli. Elle est au milieu, au juste milieu des temps, des nombres, au cœur de l'inexplicable. En face, repose le mystère, et derrière, les ténèbres.

On pourrait croire que la nuit est tombée, ses étoiles surgies, éblouissantes, comme d'habitude. Pourtant, il n'y a pas de nuit, pas de ciel magnifiquement étoilé. Il n'y a que le silence. Le son assourdissant du silence. Cette litanie donnant l'impression qu'il fait nuit.

Tant de sentiments naturels ! La fraîcheur du vent, un baiser sur les lèvres, l'amitié, le chant touffu de la brousse. Et un rire. En vain cherche-t-elle un visage entre les feuilles. Personne, juste un éclat de rire.

— Il y a quelqu'un ? Et elle frissonne.

— Oui, bien sûr qu'il y a quelqu'un : vous ! répond le Néant.

Elle cherche encore, comme possédée.

— Ne cherchez plus ! J'existe et je n'existe pas !

— Et à qui ai-je l'honneur de parler ? Elle joue les courageuses. Qui êtes-vous ?

— Je suis moi. Je suis celui que je suis. Celui qui décide ! s'exclame le Néant.

Elle pense qu'on trouve toujours et partout "celui qui décide". Et que ce n'est jamais vraiment elle qui a décidé pour son propre compte.

— Je suis ici pour vous expliquer la raison pour laquelle vous devez partir.

Elle hésite, elle ne veut pas savoir. Elle répugne à connaître : connaître signifie pour elle rouvrir brutalement une cicatrice.

— Voilà ! Nous sommes au purgatoire. Vous êtes morte. Et, à nous qui décidons, vous nous posez un problème grave. En effet, vous avez cinquante points pour entrer au paradis et cinquante pour mériter l'enfer. Votre âme est trop innocente pour obtenir l'enfer et elle a été assez vile pour avoir droit au paradis. Nous ne pouvons vous permettre de séjourner indéfiniment au purgatoire... alors...

— Alors quoi ?

Elle a de la fièvre. Elle voudrait discuter mais ne parvient pas à s'énerver. Elle perd ses forces.

— Alors c'est moi qui décide...

La voix du Néant l'envahit.

Un éclair doré transperce ses yeux, son corps nu, son esprit mi-serein, mi-exalté… Elle rêve que des océans de larmes coulent sur ses joues. Elle ouvre les yeux à la manière des femmes qui habitent les îles. Elle est encore nue, allongée sur le sable, la mer autour d'elle caresse sa peau brûlante. On l'a obligée à revenir dans son île. Cette île qui, en voulant construire le paradis, a créé l'enfer.

Elle ne sait que faire. A quoi bon nager ? A quoi bon se noyer ?

II

NAISSANCE HÉROÏQUE

Ma mère raconte que c'était le 1er Mai 1959, elle était enceinte de neuf mois, elle savait déjà que j'étais une fille. Elle raconte qu'elle avait marché et marché depuis la Vieille Havane jusqu'à la place de la Révolution pour écouter le Commandant. En plein discours, j'avais commencé à donner des coups dans le bassin de ma mère, à lui rompre les os, et il avait fallu que des gens la portent sur leurs épaules jusqu'à la clinique Quinta Reina. Avant de quitter la foule, comme elle passait devant la tribune, le Che avait posé le drapeau cubain sur son ventre, mais c'est à peine si elle s'en était rendu compte, car j'étais insupportable, je lui en faisais voir de toutes les couleurs, et Fidel poursuivait sa harangue plus verte que les palmiers. Et moi, je donnais des coups de tête, de coude, de pied en tous sens, en cherchant à quitter son corps.

Son ventre était considérablement descendu jusqu'au pubis, elle dit avoir ressenti comme une explosion d'étoiles. Elle ferma les yeux et savoura la douleur de l'attente. Une fois de plus, elle attendait, et cette fois c'était bien différent. Mon père arriva, il était recouvert d'une terre rouge qu'il répandait partout, il avait gardé son chapeau de paille enfoncé jusqu'aux oreilles et sa machette à la main, on était allé le chercher en pleine récolte de la canne à sucre. Il s'accroupit près du ventre et frémit en découvrant le drapeau qui lui parut un bon présage. Et elle expliqua que c'était le Che qui le lui avait posé et il faillit s'évanouir de fierté, il gonfla la poitrine et eut un sourire satisfait.

Elle dit qu'à ce moment-là elle était moins sûre de vivre les douleurs de l'enfantement. Elle suggéra qu'elle avait peut-être tout simplement mal à l'estomac. Mais après plusieurs contractions, elle avait pensé que ce n'était sans doute pas si anodin, si purement physiologique. Son corps se présentait comme jamais, dans une dimension nouvelle, entre le prodigieusement grand et le prodigieusement petit. Son intimité s'exposait à l'infini, telle une équation mathématique. Elle était tout au bord de la palpitation du néant. Que de vie en elle ! Mon père, nerveux, jurait et jurait encore qu'il l'aimait. Sans lui, elle n'aurait pas pu. Elle est dure, peut-être fait-elle semblant d'être dure. Elle alla souvent aux toilettes et ses excréments étaient sanguinolents, parfois verdâtres. Elle passa la nuit à répéter tout bas :

— Je vais accoucher. C'est maintenant que je vais accoucher.

Mon père me rappelle toujours combien elle a été courageuse toute sa vie. J'étais sa première et unique fille. Elle ignorait encore – comme toutes les femmes – combien cela pourrait être douloureux, cette ingénuité la rendait attentive à elle-même, sur la défensive. Elle réprimait sa peur. On lui mit une blouse ridicule, très courte et échancrée. On la coucha sur un chariot humide, poisseux. Elle écarta les jambes – maintenant elle va savoir la douleur. Le gynécologue lui ordonna de pousser dès qu'elle sentirait la contraction, il enfonça la main et fouilla, fouilla dans l'effort. C'est une douleur de mort. La vie est là-dedans, mais la fin doit provoquer cette douleur. Ma mère n'avait pas encore perdu les eaux. On perça la poche à l'aide d'une longue baguette en plastique blanc. Un flot d'eau chaude et gluante jaillit de ma mère, c'est comme un onguent agréable qui lui redonna du courage. La main du médecin secoua violemment le ventre. Là où je suis. Là où j'étais.

On la fit entrer dans une petite salle lugubre. Dehors, mon père se rongeait les ongles, s'arrachait les cheveux, n'osant même pas fumer. Les murs de la petite salle sont gris crasseux, les fauteuils sont crades, il y a deux lits avec des paravents. Dans chaque fauteuil gémissait une femme enceinte, des perfusions dans les bras meurtris. C'est là qu'elle dut attendre, dans sa blouse ridicule, mais en gardant toujours sur le ventre le drapeau cubain posé par le Che.

Elena Luz, la doctoresse guérillera, constata que ma mère en était à sept centimètres de dilatation, mais les contractions étaient encore trop espacées pour sa délivrance. On lui planta une perfusion dans le bras bruni par le soleil de la manifestation et par la marche du 1er Mai, journée mondiale des Travailleurs. Ma mère raconte qu'elle croyait être une bête éventrée, comme celle du célèbre tableau d'un peintre hollandais. Elle ne pouvait plus maîtriser sa douleur. Tous les médecins venaient secouer son ventre, y enfouir leurs mains incongrues.

Elle fit plusieurs allées et venues du fauteuil gris au lit. Les médecins lui demandèrent de pousser. Elle ne voulait pas perdre connaissance. Les mains étrangères ouvrirent à nouveau la vulve et se promenèrent en tous sens. Sa vulve ressemblait au col roulé d'un pull d'hiver. Elle se répandit par la vulve, par le clitoris, par l'anus, elle urina, vida ses intestins. Elle avait le corps ouvert de part en part et les entrailles exposées à la routine médiocre qu'elle découvrit dans le regard des médecins.

Ses yeux voilèrent son cerveau, elle s'agrippa fortement à ses genoux et poussa, avec un rugissement de lionne. Une jambe glissa et fit tomber la perfusion par terre. On lui piqua l'autre bras. De nouveau, le remue-ménage féroce en elle, les douleurs inexprimables. De l'avis des spécialistes, elle était sur le point d'accoucher. De son avis propre, elle allait mourir, elle se vidait. On la fit marcher jusqu'à la salle d'accouchement, à mi-chemin une déchirure monstrueuse ouvrit sa vulve. C'est ma tête !

Arrivée dans la salle, elle grimpa sur le lit. Une poussée, en vain. Encore une, longue, tridimensionnelle. Ma tête était coincée. Une autre, de toutes ses forces, par laquelle elle devint mère, et moi fille. Ardente. A deux doigts de la mort. Dans cette poussée, dit-elle, la vie et cet au-delà inconnu se sont frôlés.

— Dieu serait-il cela ? s'interroge-t-elle.

Elle a voulu tout voir. Quand je suis sortie de son corps et que j'ai pleuré doucement, comme en ronronnant. J'étais docile et insaisissable. J'étais encore étrangère à moi-même. Je le suis toujours. Ma mère a cessé d'être moi. J'ai cessé d'être elle. On fit énergiquement sa toilette intime, à coups de jets d'eau glacés. On lui montra l'immense placenta, magnifique comme une sculpture. Elle a encore mal, partout et nulle part. On la recousit lentement, elle savait qu'elle perdait beaucoup de sang. Jusqu'à quand durera-t-elle, la douleur de la vie ? Sortie d'elle, je plonge dans mon univers. Pour elle, la douleur s'achève. Pour moi, elle vient de commencer.

Mon père sautait de joie, malgré sa déception, de me voir naître non le 1er Mai, journée des travailleurs de la révolution triomphante, mais le 2. Je n'étais encore qu'un tout petit paquet dégoulinant de suc maternel, enveloppé dans le drapeau cubain, que l'on commençait déjà à me reprocher de manquer à mes devoirs révolutionnaires :

— Elle aurait dû naître hier, à deux minutes près, et dire qu'il a fallu que ça tombe aujourd'hui ! C'est incroyable ! Elle aurait dû naître le 1er Mai ! Je leur en veux à toutes les deux !

Il ne cessait de se lamenter, le visage euphorique. Le médecin le consola :

— Ne vous en faites pas, camarade, aujourd'hui on commémore aussi une date importante, le *Dos de Mayo*, la révolte du peuple de Madrid, le tableau peint par Goya, vous vous souvenez ?

Mon père ne connaissait rien à l'histoire de l'Espagne, ni d'ailleurs à aucune histoire. Tout au plus avait-il quelques lueurs sur la guerre d'indépendance contre les Espagnols. Il savait seulement que son ennemi était le Yankee et que sa révolution était née le 1er janvier, et sa fille au printemps, ce qui, sous les tropiques, revient au même : en pleine fournaise.

— Comment allez-vous appeler la petite ?… Vous avez déjà réfléchi à un nom ?

— Ecoutez, j'aimerais l'appeler Victoire… ou, mieux encore, Patrie !… Patrie, ça c'est un nom très original !… Je suis le père de Patrie, de la Patrie ! Le père de la Patrie ! Carlos Manuel de Céspedes ! Le premier qui rendit la liberté à ses esclaves ! Voilà un homme, un vrai ! Avec des couilles !

Et mon père, ému, sanglota, se croyant glorieux.

III

YOCANDRA, ENTRE TERREUR ET PUDEUR

Trois fenêtres grandes ouvertes confirment que la mer existe. Et si elle existe, je suis assise au bord du lit, comme chaque matin, en train de boire à petites gorgées un café noir et amer, en poudre il y a encore quelques minutes, et liquide à présent. Depuis combien de temps ai-je commencé cette cérémonie matinale ? Boire du café en contemplant la mer, comme si les vagues étaient des fragments de vie. L'eau est fascination lente, sérénité maximale, effroi curieux qui apaise. Je fais la même chose depuis un nombre infini d'aurores, traverser l'écume, le corps hiératique, tandis que l'âme me susurre qu'elle existe, comme la mer. Comme le mal du déséquilibre. En moi, comme partout sur terre, l'équilibre a volé en éclats. Rien ne saurait m'atterrer et tout proclame que la terreur abonde. Il doit exister un secret exceptionnel que les dieux ont caché sous on ne sait quelle forme extérieure banale, nous obligeant à croire en eux et à penser que nous sommes des accessoires d'une utilité exquise, afin de contrôler l'éternelle recherche d'une cohérence ou d'une harmonie parfaite entre l'infini et l'éphémère. Etre homme est un don que les dieux ont accordé trop vite. Et le grand mystère, à qui donc devra-t-il être confié ?

Je suis née asphyxiée et l'air me manque encore. Ma tête est restée un long moment coincée dans le bassin de ma mère. Je suis victime d'un essoufflement éternel. C'est la dyspnée qui me permet de palper la vie, seconde après seconde. Et toutes ces secondes contiennent des questions, des questions quand j'aspire, des questions quand j'expire. C'est un double exercice : physique et mental. Pourquoi tout le monde réclame-t-il une discipline rigoureuse dans les réponses alors que l'instant présent n'est qu'un cataclysme d'interrogations ?

Depuis combien de siècles suis-je ainsi, la bouche savourant ce café, les yeux regardant la mer, les jambes inertes et pour cette raison même avides de courir tous les chemins ?

Hier soir, un traître a dormi dans mon lit, avant-hier soir un nihiliste. Depuis combien de temps ai-je la passion d'alterner jusqu'à l'épuisement les désirs ? Pourquoi essayer de continuer avec l'un ce que je n'ai pu terminer avec l'autre ? Aurais-je besoin de vivre en soulignant la différence ? Faut-il s'étendre sur le drame humain du temps ? Pourquoi doit-on penser tant et tant aux jours qui passent ? Cette normalité double, ce va-et-vient des instincts à l'analyse, et vice versa, toujours plein de méfiance, sont-ils nécessaires ? Quelle est donc cette émotion ancienne qui envahit le silence quand je me rends compte que je respire encore ? Ou suis-je tout simplement en train de vivre la crise de la femme de trente ans ?

En fin de compte, les gorgées de café m'ont réveillée, je me suis lavé les dents, j'ai pris mon petit déjeuner : eau mêlée de sucre brun et le quart des quatre-vingts grammes de pain d'hier. Je sais très bien gérer notre pain quotidien. Quand il y en a ! Je le coupe en quatre : un morceau pour le déjeuner, un autre pour le dîner, le troisième avant de me coucher, à moins que je ne le partage si j'ai de la visite, et le quatrième, pour le petit déjeuner. Ensuite, je me suis à nouveau brossé les dents, j'ai du dentifrice grâce à une voisine qui me l'échange contre une viande hachée, en fait du soja, que je ne mangerais pour rien au monde ; Dieu seul sait avec quoi on fabrique cette saleté verdâtre et malodorante. On m'a forcée à devenir végétarienne malgré moi, même si à vrai dire les légumes manquent aussi.

J'ai enfilé le premier vêtement pratique et frais que j'avais sous la main, attaché mes cheveux, jeté un dernier coup d'œil au miroir ; j'étais en forme, prête à la bataille, comme toujours. J'ai sorti la bicyclette de derrière le canapé du salon, j'ai vérifié que les roues étaient bien gonflées, j'ai pris mon sac à dos, ouvert la porte et descendu les huit étages par l'escalier, le deux-roues chinois sur l'épaule ; l'ascenseur ne fonctionne pas, de toute façon le courant est coupé. J'ai vaincu les hautes marches plongées dans l'obscurité et, quand je suis arrivée dans le hall de l'immeuble, j'aurais pu tordre ma robe pour en extraire la sueur.

Me voilà enfin dans la rue, pédalant comme chaque matin, je suis dans la lune, un camion peut m'écraser à tout moment. Je vais au bureau : AU TRAVAIL. Quel travail ? Cela fait deux ans que je fais la même chose tous les jours : pédaler de chez moi au travail, pointer, m'asseoir à mon bureau, lire des revues étrangères qui continuent d'arriver avec deux ou trois mois de retard, quand ce ne sont pas deux ou trois ans, et rester dans la lune. Nous ne pouvons pas fabriquer la revue de littérature dont je suis la rédactrice en chef, à cause des "problèmes matériels que le pays affronte", la période spéciale, tout ce que nous supportons, comme chacun sait, sans compter tout ce qui nous reste à endurer. Mon séjour dans la lune prend presque toujours fin à l'heure du repas. J'ouvre alors mon sac à dos, je sors d'un sachet le petit morceau de pain, une demi-banane, et je bois ma petite gourde d'eau, sucrée aux balayures des raffineries de canne. Il me reste du café en fin de mois, un vrai miracle ! Cela n'arrive presque jamais. Si j'en ai ce mois-ci, c'est que j'ai troqué un petit paquet contre un bout de savon.

J'ai déjà grillé un feu. Toujours distraite ! Ensuite, je quitte le bureau à deux heures, car plus personne ne travaille jusqu'à cinq heures, comme avant. Je rentre en pédalant, toujours dans la lune. J'arrive à la maison, pas d'électricité. Je commence à cuisiner à trois heures mais les coupures de gaz m'amènent à huit ou neuf heures du soir. Si à cette heure-là je réussis à dîner, je peux estimer que je suis une femme comblée. La plupart du temps, je dîne à minuit. Tandis que la casserole s'éternise sur la cuisinière, j'ai le temps de prendre un bain, d'aller chercher de l'eau au coin de la rue et de monter trois ou quatre fois les huit étages un seau dans chaque main. Au cours de mes aller-retour, j'asperge tout sur mon passage, et puis j'éponge les couloirs et l'escalier avec une vieille serviette, car les serpillières coûtent un dollar pièce dans le magasin en devises de la rue Setenta. Mon repas terminé, je fais le ménage et je lis quelque chose avant de me coucher, ou bien je regarde une cassette vidéo, si le courant est revenu. Voilà à peu près ce que je fais chaque jour de ma vie, quand le Traître ou le Nihiliste ne me rendent pas visite. Etre dans la lune, c'est une façon de penser à eux ou de passer en revue, comme maintenant, les scénarios quotidiens de mon existence. Par exemple, hier, je me suis brossé les dents avant le petit déjeuner, pas après, je me suis sentie mal à l'aise toute la journée au bureau, les dents rêches. D'ailleurs je ne peux prendre le petit déjeuner sans m'être lavé les dents, sinon je ne lui trouve aucun goût, et comme il est déjà insipide par nature…

Je dois à tout prix traverser la grande avenue avant que le feu passe au rouge… Rien à faire, je n'ai pas appuyé assez vite sur les pédales, j'ai bien été obligée de m'arrêter…

— Patrie ! Patrie ! La belle, tu ne me reconnais pas ?

C'est cette militante-milichiante qui, au lycée, quand on partait travailler aux champs, me collait de garde le week-end pour me casser les pieds et m'empêcher de rencontrer des garçons. Je n'ai aucune envie de la regarder, ni de la saluer. Elle approche, et le feu qui ne change pas !

— Dis donc, Patrie, tu es devenue sourde ? Tu ne te souviens pas de moi ?

— J'ai changé de nom. Maintenant je m'appelle Yocandra.

La Milichiante me toise de la tête aux pieds, son visage exprime à présent la méfiance, et elle me lance sur le ton du défi :

— Quelle idée ! Tu n'étais pas fière de ton nom ?

Et tandis que je vois le feu passer au jaune, puis au vert – la Milichiante est appuyée, menaçante, sur le guidon de la bicyclette, et ses pupilles foudroient les miennes –, je réponds humblement :

— Je ne crois pas mériter ce nom. Je ne suis pas à la hauteur. C'était trop pour moi…

— Dis donc, tu ne serais pas devenue une *gusana**, modèle droits de l'homme ?

— Tu sais, je voulais seulement m'appeler Yocandra, par amour…

— Par amour pour qui ? pour quoi ? Tu aurais pu aussi bien garder ton ancien nom par amour… Si on se rencontre à nouveau, on ne sait jamais, n'essaie pas de me dire bonjour, d'accord ? Les

* Littéralement "les vers de terre". Le régime castriste désigne ainsi, de façon péjorative, la "vermine", autrement dit les "traîtres" qui, émigrés ou restés dans l'île, sont en désaccord avec la révolution. *(N.d.T.)*

temps sont durs, et tu sais que je travaille dans une firme française contrôlée par les agents de la Sécurité… Ils passent leur temps à me surveiller. Je ne peux pas risquer de perdre mon travail à cause de… mais enfin, Patrie, qu'est-ce qui te prend ? Pourquoi tu me bouscules ?…

Je te bouscule parce que je n'ai plus envie d'entendre tes foutaises, j'ai assez des miennes. Et je t'envoie valdinguer dans l'herbe, profaner le vert des fougères, baudruche gonflée d'opportunisme. Toi qui, dans les années soixante-dix, dénonçais tous ceux que tu voyais parler à un étranger, car d'après le règlement tout étranger était un ennemi en puissance. Par ta faute combien d'étudiants se sont vu retirer leur carte des Jeunesses communistes, et n'ont pu continuer leurs études ? Toi, putain d'un flic, tu travailles maintenant dans une entreprise étrangère ! Et je ne m'appelle plus Patrie parce que j'ai toujours détesté ce nom, parce qu'à l'école primaire on se moquait de moi, parce qu'au fond je respecte profondément la signification de ce mot. D'ailleurs, cela a-t-il un sens de s'appeler comme ça ? Et aussi à cause de lui, mon premier amour, celui de mes seize ans, je l'ai épousé, j'ai divorcé, et par la suite je me suis remariée trois fois (sous les tropiques, on se marie et on divorce très tôt, aussi facilement qu'on boit un verre d'eau). Et, après tout ce temps et tous ces maris, il est maintenant mon amant, celui que j'alterne avec le Nihiliste, l'autre, le jeune, l'homme que j'aime en vérité aujourd'hui. Car avec le Traître, il s'agit pour moi d'une sorte de vengeance, d'une accoutumance irrésistible, d'un désir de l'humilier, de lui faire payer tout ce que j'ai subi. Tout a commencé quand je lui ai dit mon nom, il a éclaté de rire. Comment pouvait-il coucher avec la Patrie ? Plutôt crever ! Cette nuit-là, il reboutonna lui-même mon uniforme de collégienne et m'interdit de revenir le voir tant que je n'aurais pas changé de nom. J'avais seize ans et j'aspirais en secret à devenir un écrivain universellement connu. Il avait trente-trois ans et avait publié deux romans, trois recueils d'essais et un livre de poèmes. Il était l'écrivain à la mode. En outre il était beau et s'habillait avec élégance, je me souviens très nettement d'un costume en jean bleu ciel, léger, de marque italienne, qu'il portait avec des chaussures italiennes de chevreau, aussi douces au toucher que le néant. Il avait les cheveux châtains, bouclés, des yeux couleur de miel, le teint rose. Ecrivain brillant, de l'avis général, il voyageait beaucoup (je l'ai appris lors de nos premières rencontres, quand il me montra les quatre albums de photos de tous les pays d'Europe et d'Amérique latine qu'il avait visités). Il parlait l'italien – il l'avait appris avec une maîtresse italienne plus âgée que lui –, le français – il l'avait appris avec un amant suisse plus âgé que lui –, et le russe – qu'à vrai dire il se contentait de baragouiner.

Lors de cette nuit initiatique où il ne voulut pas me faire l'amour à cause de mon nom, je pleurai comme une Madeleine, je versai toutes les larmes de mon corps. Il n'y prêta aucune attention et m'oublia pour se plonger dans la lecture d'un gros bouquin à couverture dorée. Aujourd'hui, des années plus tard, il m'avoue qu'il faisait alors semblant de lire pour observer mes réactions. Je réagis de la façon la plus inattendue : je pris un manuscrit sur son bureau. C'étaient des vers. Des vers dédiés à Yocandra... Et je fus soudain la proie d'une jalousie sourde, à m'en cogner la tête contre les murs, mais je me retins. Les yeux immobiles et ardents, je lus ce livre jusqu'au dernier mot, je le jugeai génial, aujourd'hui je le trouve naïf. Je voulus être sur-le-champ la femme qui avait inspiré tant de douleur et d'amour à ce bel esprit. Je me maudissais de n'être pas née comme elle dans un autre pays, je voulais être une étrangère, avoir les yeux bleus et les cheveux presque blancs, comme une Suédoise, parler avec un accent, connaître un autre continent, je ne voulais pas être moi. Les larmes éclaboussèrent la jupe moutarde, couleur "merde de singe" – comme nous disions –, de mon uniforme. En sanglots, je reposai religieusement ce chef-d'œuvre de la littérature cubaine sur la table, et je sortis dans un silence de mort pour m'enfoncer dans le crépuscule havanais. Le lendemain, j'entamai les démarches et menaçai mes parents d'abandonner mes études s'ils ne me donnaient pas leur autorisation. La seconde nuit, j'allai chez le Traître, je frappai doucement à plusieurs reprises à sa petite porte de lutin. Il vint m'ouvrir, tout nu et si grand qu'il dut se pencher pour découvrir que c'était moi :

— La Patrie en personne ! lâcha-t-il ironiquement en éclatant de rire.

— Non… Non… Je l'interrompis, craintive et timide. J'ai changé de nom… J'ai choisi… Yocandra.

Son visage dans la pénombre me semblait violet, il battit des paupières plusieurs fois, comme s'il n'avait pas bien entendu.

— Oui, Yocandra, comme la femme de tes vers…

— Et à qui as-tu demandé la permission ? Pour qui tu te prends ? Voler le nom de ma muse ! C'est un comble ! Je me creuse la tête pendant des années pour trouver un nom bizarre, suggestif, qui puisse accrocher les éditeurs, j'intitule mon livre *Les Vers de Yocandra*, et une petite allumeuse minable vient me piquer mon titre ! Que vont penser demain les exégètes de mon œuvre ? Ils croiront que j'ai donné ce titre en ton honneur, que tu as inspiré ces vers, alors que c'est tout le contraire, c'est toi qui voles mes idées !

— Excuse-moi, j'ai fait ça pour te plaire…

— Me plaire ! Me plaire ! Est-ce que tu t'es déjà regardée dans une glace ? Tu n'es qu'une gamine mal élevée, maigre comme un clou, et voleuse ! Et peut-être même une espionne ! J'ai beaucoup d'ennemis, moi, qui cherchent à m'assécher la cervelle à coups de sorcellerie !

— Bon, il vaut mieux que je m'en aille, je croyais simplement que faire l'amour avec toi serait une chose romantique, différente, comme dans les romans… Ne t'en fais pas, demain je vais récupérer mon nom…

Alors le Traître se tut, et au moment où je lui tournai le dos, il me retint par les épaules, suça ma nuque. C'était le premier suçon qu'on me faisait à cet endroit. Il me prit par la main et me fit entrer dans sa tanière. Non par désir. Encore moins par amour. Surtout pas ! Juste par esprit de contradiction.

IV

LE TRAÎTRE

Comment ai-je fait la connaissance du Traître ? Je revenais d'un cours de dactylo donné par une mulâtresse qui prenait des airs de grande dame tout en tenant une école clandestine dans un *solar** du Callejón del Chorro. Soudain, il se mit à tomber des trombes d'eau, un de ces déluges havanais dont les grosses gouttes vous écrasent la cervelle, avec des coups de tonnerre à vous crever le tympan, et des éclairs à vous rendre aveugle ! Moi qui ai si peur de la foudre, et surtout de jouer les paratonnerres, je me débarrassai de tous les objets métalliques que je portais, me précipitai au milieu de la rue pour éviter un écroulement toujours possible, et me mis à prier presque à tue-tête :

— Saint Isidore, porteur d'eau, rends-nous le soleil qui nous chauffe et nous dore !...

Pas un chat dans la rue. Mais lui était là-bas, au bout du parc Aguiar, se débattant avec un parapluie noir dans la tourmente, il m'observait sous l'averse,

* Palais de l'époque coloniale laissé à l'abandon, et dont chaque pièce est louée à des gens de toutes conditions. *(N.d.T.)*

comme un fauve qui contemple sa proie. Je passais près de lui quand il me proposa de m'abriter sous son parapluie. Je lui lançai un tel regard que j'en ai encore mal aux pupilles et aux glandes lacrymales. Il me poursuivit, incapable de résister à la tentation, il me voyait innocente, trempée, l'eau rendait ma robe transparente et ses dents auraient voulu avoir des ailes pour marquer ma chair ferme, ma "peau souveraine" – comme dans le poème de Lezama dédié à Fina (le Traître m'a raconté un jour que Lezama avait été amoureux d'elle toute sa vie, platoniquement bien sûr). Prête à recevoir sa morsure, j'étais l'être que l'on pouvait trahir. Il n'a jamais vu en moi une jolie fille – il ne se privait pas de le dire – mais une victime, et c'était ce qu'il cherchait, ce qu'il cherche. Il m'entraîna sous le porche d'un couvent, me récita un extrait de son dernier livre, en tira un exemplaire de sa sacoche en cuir et me le dédicaça. Sans me demander mon nom, il écrivit : "A une jeune fille née de la pluie." La nuit nous surprit en pleine discussion, il parlait de grande littérature, moi des romans soviétiques (quand ils l'étaient encore) que l'on vendait dans les librairies. Chez les bouquinistes, on pouvait encore trouver des petites merveilles. Chaque fois que je mentionnais un titre, il avait une moue de dégoût. Quand enfin je citai les livres cubains et latino-américains que j'avais lus, il fut impressionné et me félicita en déposant un baiser mouillé de salive sur mon front.

Il y eut d'autres poursuites, et même des factions au coin de mon immeuble, ainsi que des enquêtes de copains espions qui lui apprirent presque tout de ma vie. *Presque tout* seulement, alors qu'il croyait avoir tout appris. Une nuit, enfin, j'allai le voir dans sa chambre du *solar* des intellectuels. Un lieu où vivotaient des peintres, des écrivains, des musiciens, des journalistes, des architectes, des ingénieurs, des acteurs et des truands en tout genre : un natif du Sud qui se faisait appeler Argelino, un délinquant qui avait trente-six chats et deux bergers allemands (tous dans la même piaule), et se faisait appeler Al Cafotano pour imiter Al Capone, un proxénète, ainsi qu'un trafiquant de devises et de drogues. Cette nuit-là, enfin, il apprit mon nom et en fut consterné. Et je revins le lendemain, ayant changé de nom, ayant changé de vie.

La seconde nuit, il me demanda si j'étais vierge. Bien sûr, je répondis que oui, je l'étais réellement, nul n'avait encore jamais pénétré ma vulve, mon hymen était intact. Il ne pouvait l'admettre, il se déchaîna contre moi, le doigt menaçant, visiblement exaspéré. Si j'étais vierge, il fallait que quelqu'un me déflore, mais certainement pas lui. Il en était incapable, il ne supportait pas les vierges, il n'osait pas déchirer une chose aussi sensible et humide que l'hymen ! (Comment aurais-je pu deviner que longtemps après, inlassablement, il allait déchirer des zones bien plus sensibles en moi : la dignité, l'âme, et toutes ces bagatelles si chères aux femmes ?) Je devais m'en aller – une fois de plus – et revenir déflorée, et pas question de lui raconter comment cela s'était passé. Il ne supporterait pas d'entrer dans des détails qui n'apporteraient rien à notre future relation sexuelle.

J'aurais pu lui expliquer que le vagin était vierge, mais qu'un autre "c-anal" l'était beaucoup moins. Malgré certaines filles qui, à l'école, nous faisaient peur en racontant qu'on pouvait aussi tomber enceinte par-derrière, ou même seulement en s'y frottant, si jamais une goutte tombait sur la cuisse, elle pouvait dégouliner, et c'était la tuile assurée. Toujours est-il que j'attendais la tombée de la nuit pour me faire peloter contre le mur du Castillo de la Fuerza, par un ex-prisonnier politique de cinquante ans. Il venait d'être remis en liberté. Il me raconta que son seul délit avait été de jeter des pierres contre une vitrine qui exposait un drapeau du 26 juillet et des mots d'ordre stupides, il avait pris treize ans pour ça. Ce fut une belle aventure, j'en souffris un peu. Mais il m'initia à des lectures différentes, je découvris *La Trêve* de Benedetti grâce à lui.

Il m'avait suffi d'entendre mon père dire un jour que la pire des choses qui puisse arriver, à lui et à sa famille, le coup de grâce, ce serait d'apprendre que sa fille couchait avec un Noir, pour que je tombe follement amoureuse d'un beau Noir aux yeux verts, matelot dans la marine marchande, par-dessus le marché. Il me raconta beaucoup d'anecdotes qui me firent connaître les ports importants. Surtout celui de Hambourg, en Allemagne (du temps où elle était fédérale), et la rue San Pauli, célèbre pour ses putains. Je dus larguer le Noir aux yeux d'émeraude car il ne se contentait plus de l'arrière-garde, il voulait s'attaquer au front unique, mais je n'étais pas assez courageuse à l'époque, et je n'avais pas non plus les moyens financiers de faire face aux problèmes raciaux de mon père.

Je n'étais donc plus tout à fait pucelle, si ce n'est formellement. Mais qui aurait pu interrompre les gesticulations de ce fauve, prisonnier de ses obsessions ? Le Traître, ruisselant de larmes, m'ouvrit la porte, et ce ne fut pas une jeune fille apeurée qui la franchit, mais un hymen assassin. Un hymen prêt à tuer le premier pénis qui croiserait son chemin. A l'exception du bien-aimé.

Sur le quai de Casablanca, un type aux cheveux longs attendait tout seul un bus quelconque. Il avait tant de rhum et de marijuana dans le corps qu'il avait perdu toute idée de sa destination, il savait seulement qu'il devait sortir de sa torpeur. Je lui fis piquer une tête dans l'eau trouble et puante, scintillante de pétrole, du Malecón. J'allai me planter au milieu de l'avenue pour faire du stop et, un bout de sein à l'air, j'arrêtai la voiture d'un général. J'expliquai que mon frère avait une grave crise d'asthme et qu'il fallait le conduire à l'hôpital immédiatement. On nous déposa au service des urgences de l'hôpital Calixto Garcia. J'attendis que la plaque d'immatriculation de la voiture du général disparaisse pour traîner le chevelu jusqu'à *La Red*, un night-club des plus obscurs au cœur du Vedado. L'homme s'appelait Machoqui : en plein 1975, il avait décidé d'être un hippie alors que plus personne au monde ne l'était, et encore moins à

Cuba. Je lui flanquai quatre gifles, balançai deux pots d'eau froide sur son visage abruti, et me mis à l'embrasser histoire de ne pas perdre les bonnes habitudes du romantisme. Sur une banquette, décousue et poisseuse de sueur, tout en écoutant un boléro chanté par José Antonio Méndez, il ouvrit sa braguette et sortit une queue bien dure. J'avais déjà mon slip aux chevilles. Je pensai à la guillotine et m'assis d'un coup sec sur la tête du pénis. C'est lui qui poussa un cri de douleur. Je n'étais pas assez lubrifiée. Non sans mal, je le décapitai. Il n'y eut qu'une infime brûlure et un peu de sang dilué. Mon hymen avait rempli sa mission, tuer une pine, et, après exécution, tel un parfait criminel, il avait disparu sans laisser de traces. Aussitôt, je me rhabillai, payai et partis. De Machoqui, mon dépuceleur, je n'ai plus jamais eu de nouvelles.

Je retournai à la tanière du Traître. Bien sûr, il ne m'attendait pas. Il ouvrit, ensommeillé – le jour se levait déjà – et bâilla sans chercher à me cacher ses plombages. Je l'écartai et j'entrai d'un pied léger, en esquissant un pas de valse.

— C'est fait, dis-je, souriante, au comble de l'extase.

— Quoi donc ? demanda-t-il tout en allumant une cigarette.

— Ça y est : on m'a décapsulée !

— Tu veux dire que tu n'es plus…

— Vierge, oui… Excuse-moi, je peux me laver ?

Le sperme du chevelu me coulait le long des cuisses jusqu'aux genoux.

Il n'avait pas de salle de bains. Déconcerté, il m'apporta un seau de plastique rempli d'eau et une bassine. Sous ses yeux je lavai mon sexe rouge et frottai la petite tache sanguinolente de mon slip. Il se détourna pour ne pas voir, mais n'en perdit pas une miette du coin de l'œil. Il alluma une autre cigarette, sourit en m'observant, toujours derrière son immuable nuage de fumée. Je pris mon air le plus sérieux. Je voulais seulement, d'une manière brutale, maladive – et je ne sais toujours pas pourquoi – que cet homme m'aime.

Le Traître déflora mon innocence, si je suis impitoyable aujourd'hui, c'est de sa faute. Il était destiné à violer mes rêves et le fit cruellement. Il devait me mentir, et il me tua à coups de mensonges. Il était celui qui marque, et me voici couverte de cicatrices. Il ne le saura jamais, il n'y est pas préparé. Je l'ai aimé comme seule peut aimer une adolescente. Docile, l'intelligence prête à n'importe quelle folie. Et ses folies, je les ai prises trop au sérieux. Il a été le premier que j'ai aimé et cela, d'une certaine façon, le rend exceptionnel.

Ainsi commença notre histoire d'amour. Je fis l'école buissonnière toute une année, mais quelle importance ? Je fus reçue avec des notes excellentes, achetées au professeur principal pour mille pesos, à l'époque mille pesos étaient encore une somme, une fortune à vous en boucher un coin. Non seulement j'eus de bonnes notes, mais on m'inscrivit à l'Institut pédagogique. Le slogan pas piqué des vers de l'époque était : "La vocation n'existe pas. La vocation, c'est le devoir accompli." Tout le monde devait massivement devenir professeur ou médecin, parce que la patrie en avait besoin. Or on manquait de professeurs d'éducation physique, c'était des études géniales, parce qu'elles donnaient droit à une chambre à Ciudad Libertad (partagée à cinq, bien sûr) et à des vêtements de sport : tennis d'enfer, jogging d'enfer, chaussettes montantes à rayures géniales, petit déjeuner, déjeuner, goûter et dîner dans un superbe réfectoire, piscine, des professeurs épatants, blonds, bronzés, musclés, époustouflants. Je fus admise dans cette filière-là pour seulement mille pesos de plus, que le Traître paya, bien sûr, il gagnait tellement d'argent, trois cent vingt-cinq pesos par mois, plus des droits d'auteur, depuis que ceux-ci avaient été réinstitués. On y expédia aussi les forts en thème de la classe, les meilleurs éléments, ceux qui aspiraient à devenir psychologues, journalistes, diplomates, juristes, scientifiques, les cerveaux éminents qui s'étaient farci les activités politiques, les travaux aux champs, les réunions, et toutes sortes de trucs merdiques afin de gagner les galons de militant. Car celui qui n'était pas militant pouvait dire adieu à la filière de ses rêves. Mais la filière de nos rêves devint cauchemar quand le devoir accompli fut imposé, sous prétexte que la vocation est encore une invention yankee, de la propagande ennemie, purement et simplement. Qu'en est-il aujourd'hui de la vie de Pepe Soto, qui voulait être chanteur lyrique et qui dut se consacrer à la course à pied ?

Et pour comble, ironie des vocations, ce fut dans la catégorie course de haies. Qu'est devenue Julia León, qui rêvait d'être procureur, afin d'accuser, d'accuser encore et d'accuser toujours ? Combien de gens n'a-t-elle pas dénoncés pour démontrer preuves à l'appui qu'elle pourrait devenir un procureur de haute volée, de ceux qui n'ont pas froid aux yeux ? Elle a dû se rabattre sur la médecine, spécialité gynéco-obstétrique ! Combien d'innocents doit-elle être en train de condamner à mort ! J'avais manqué l'école toute l'année. De ma vie je n'avais mis les pieds sur un terrain d'éducation physique ; je n'étais pas militante, parce que je m'étais échappée du dortoir au petit matin pour aller branler les garçons dans leur résidence, et parce que j'avais résisté au harcèlement sexuel du secrétaire général de l'UJC de mon groupe. J'étais la pire de toutes et pourtant, j'étais déjà à l'université. Grâce à la bienveillance du Traître, mais surtout grâce à ma "prison féconde" où j'étais sa servante.

A partir de cette seconde nuit où je réunissais apparemment toutes les conditions pour que le Traître me fasse l'amour, il se mit dans le crâne que j'étais un être innocent, qu'il devait forger, protéger des horreurs du monde extérieur, afin de pouvoir me modeler à son image. J'abandonnai les cours de dactylographie, la mulâtresse tirée à quatre épingles avait roulé mes parents. Au bout de six mois passés à pianoter sur la vieille Remington, je n'avais toujours pas appris à me servir de mes dix doigts. Un midi, le Traître me déshabilla, me fit asseoir dans le plus simple appareil devant sa magnifique Olympia, recouvrit le clavier d'une feuille blanche, me banda les yeux, commença à me caresser le cou, le dos, les fesses, les petits seins, le nombril, tout en me dictant des poèmes de *Sur l'avenue Jesús del Monte.* Je transpirais abondamment et ses mains sèches aux longs doigts endiguaient les ruisseaux qui perlaient du cou à la pointe des seins, du dos à la fente des fesses, des aisselles aux hanches. Avant la tombée du soir, j'écrivais cent vingt mots minute, incroyable mais vrai. Ainsi commença cette histoire d'amour, de manière toute militaire : il donnait des ordres et je les exécutais au pied de la lettre. J'étais une annexe de sa pensée. S'il écrivait un essai sur le cinéma muet, c'était à moi de visionner minutieusement, l'un après l'autre, tous les films, depuis l'invention des frères Lumière jusqu'aux débuts du cinéma parlant, jusqu'à la décadence du muet. J'arrivais avec toute la documentation, la posais à droite de sa machine à écrire, et il rédigeait un essai brillant, digne d'une anthologie sur le centenaire du cinéma. S'il s'agissait de peinture gothique, je devais lire toutes les encyclopédies, marquer les pages à l'aide de papiers de couleurs différentes, indiquer sur la partie supérieure le titre des tableaux et le nom de l'auteur, afin qu'il puisse retrouver instantanément la reproduction de l'œuvre d'art à laquelle il se référait. Je pris conscience de sa tyrannie trop tard, en réalité au moment où j'en avais appris – ou assimilé – suffisamment, car sans nul doute ce fut ma grande université. Malgré ce que j'ai enduré, malgré ces nuits blanches passées à travailler, malgré l'exploitation. Etait-ce de l'exploitation ? Oui, mais je ne le savais pas, j'accomplissais chacun de ses ordres par amour, pour moi, c'est ainsi que l'on devait aimer. L'amour, c'était cela. Lui, en revanche, donnait ses ordres par intérêt. J'étais l'étudiante qui recevait gîte, couvert, sexe et un enseignement grandiose, raffiné. J'appris très vite à manier le couteau et la fourchette à la manière française, et les baguettes chinoises. Auparavant je mangeais à la cuiller. Ma formation était très différente de celle des autres bécasses de l'école. En récompense de ce travail, je devais aussi laver et repasser tout le linge, même les draps, et faire le ménage. Quand, des mois plus tard, je franchis le seuil de Ciudad Libertad, trois semaines me suffirent pour comprendre que ses salles de classe n'avaient rien à voir avec la connaissance. Je m'endormais en cours, je ne supportais pas les longs entraînements (après tout je ne me préparais pas pour les jeux Olympiques, j'aurais simplement à donner des cours d'éducation physique à des enfants, des adolescents ou dans le meilleur des cas à de jeunes nymphomanes mourant d'ennui dans mon genre). Abdos, et un-un, et deux-deux, et trois-trois, et quatre-quatre, pompes, un-deux-trois-quatre, accroupis, un-deux-trois-quatre, repos, jouez à ce que vous voulez... Trois semaines me suffirent largement pour renoncer. Je n'y remis plus les pieds. Malgré cela, grâce à un des tours de prestidigitation monétaire du Traître, mon flamboyant diplôme universitaire d'éducation physique est accroché, aujourd'hui encore, au mur du salon de mes parents. Pourtant, *ma brillante carrière*, je ne l'ai jamais exercée. Je me souviens maintenant d'un film australien qui portait ce titre, il m'avait émue car l'héroïne, Sybille, me ressemblait beaucoup ; en sortant du cinéma, je me disais que si un jour j'avais un enfant avec le Traître, et si c'était une fille, je lui donnerais ce nom. Mais le Traître ne voulut jamais entendre parler d'enfants. Quand je lui fis part de mes pensées, il m'apporta le lendemain un chaton nouveau-né à demi moribond, qu'il baptisa Sybille.

Pendant ce temps-là, que pensaient mes parents, que disaient-ils ? Rien, car ils ne savaient rien. Le Traître et moi, nous avions mis au point un scénario parfait, et ses bonnes relations avec des fonctionnaires de divers ministères lui permirent d'obtenir les documents nécessaires au grand mensonge. Pour mes parents, je venais de terminer ma dernière année de lycée dans un internat réservé aux fils à papa dans l'île des Pins, j'avais été remarquée à l'école, grâce à mon intelligence et à ma bonne conduite, mais surtout grâce au zèle politique de mon géniteur, dirigeant syndical implacable. Pour mes parents, j'étais une militante (je possédais même une fausse carte des Jeunesses communistes). Pour eux, j'étais inscrite au professorat d'éducation physique, j'étais interne à Ciudad Libertad. Pendant les vacances je leur racontais que j'allais aux champs collaborer aux plans agricoles. A leurs yeux, j'étais une fille modèle. Le Traître était le professeur principal qui leur rendait visite chaque mois pour les tenir informés de mes progrès et de mes prodigieux résultats scolaires. Pour mes parents, j'étais une dirigeante étudiante, chose qui projetait mon petit papa au paroxysme de l'orgasme paternel.

En réalité, je vivais prisonnière, comme dans un couvent, ma religion était l'amour, mon dieu était le Traître. En réalité, j'étais heureuse, car pour moi, cette vie n'était pas une humiliation, je manquais de points de comparaison avec d'autres états de bonheur. Le monde extérieur était si laid que cette chambre bourrée de livres était devenue mon palais gorgé de trésors. Le Traître dormait le jour, il travaillait le soir jusqu'à l'aube. Une ou deux fois par semaine il se rendait à ce qu'il appelait son “bureau”, lieu interdit pour moi. Je ne devais pas transgresser les frontières de la chambre, et encore moins celle de la Vieille Havane. Le Traître m'appartenait de la rue Monserrate jusqu'à la baie. Hors de ces limites, le Traître était à lui, à d'autres femmes, à ses amis, au “bureau”. Quand il partait à l'étranger, j'apprenais son retour quand je le voyais devant moi, avec son costume bleu clair, sa cigarette et son éternel rideau de fumée. Sa valise était pleine à craquer de livres neufs en éditions de luxe, de cadeaux pour toute sa famille et pour moi. Avec le temps, je reçus de moins en moins de cadeaux.

Le Traître était invité à de nombreuses réceptions officielles, en l'honneur de García Márquez ou de Régis Debray – encore de gauche, et donc bien vu –, un dîner avec Carpentier et Lilia, un hommage aux cinéastes soviétiques lors du festival de cinéma des pays socialistes, et ainsi de suite. Une foule de mondanités ridicules, auxquelles il devait assister de plus en plus souvent. Il me confiait alors la terrible tâche de lui choisir ses vêtements. Une *guayabera* ? On a beau prétendre que la *guayabera* est le costume national, j'ai toujours trouvé cette sorte de chemise à poches ringarde, c'est l'uniforme des médiocres, des flics et des opportunistes. Je sortais de l'armoire à glace les chemises françaises, les parfums français, le costume anglais, les chaussures italiennes. Mais il me mettait en garde : il valait mieux éviter d'attirer l'attention par une élégance ostentatoire, et mettre la *guayabera*, made in Mexico (celles de fabrication cent pour cent cubaine étaient tout bonnement effroyables). Jamais, au grand jamais, je ne l'ai vu porter de vêtements compromettants, il les réservait pour ses voyages. Je repassais la *guayabera*, le jean, mexicain lui aussi, je cirais les bottes texanes, je le parfumais, je coiffais ses boucles, puis à la porte, je lui disais au revoir d'un baiser qu'il esquivait, comme une femme craignant pour son rimmel. Il s'évanouissait dans la verdeur des fougères du corridor, dans le grincement plaintif de la grille, et je restais cloîtrée en compagnie de Proust ou de Baudelaire.

Trois ans plus tard, une fois où je dus aller à Ciudad Libertad verser l'argent pour être reçue à l'examen de fin d'année, à la sortie je vis une Anchar (une voiture qu'un particulier pouvait louer dans les années cinquante, aujourd'hui il faut payer en dollars, mais à l'époque c'était très accessible), d'où une main masculine tachée d'encre me faisait signe d'approcher. J'allais continuer quand la portière s'ouvrit, et le Traître parut. J'en eus un haut-le-cœur, je faillis m'évanouir, je n'en croyais pas mes yeux, jamais encore je ne l'avais vu hors de nos frontières. Je me dis que peut-être il se trompait, et, en dépit de ses appels réitérés, je passai mon chemin. Il courut derrière moi, me prit le bras.

— Ecoute, nous devons nous marier aujourd'hui même, j'ai tout arrangé, il faut qu'on se marie... J'ai besoin d'une femme, je veux dire d'une "compagne"... On vient de me nommer à un poste important dans un pays lointain et je dois être marié pour y aller.

Il me poussa dans l'auto, qui commença à rouler, rouler, et ma tête avec. Nous arrivâmes au palais des Mariages où nous attendaient le photographe et les deux témoins que celui-ci était lui-même allé chercher dans la rue. Deux poivrots puant l'urine, piliers du bar de la Société arabe, sur l'avenue du Prado. Comme l'avocate s'apprêtait à nous lire le code de la famille, le Traître tira cent pesos de sa poche, elle referma le livre et demanda de façon plus synthétique :

— Vous acceptez-vous mutuellement pour époux ?

— Oui, dit-il.

Je ne répondais pas. Deux minutes s'écoulèrent, rien. J'avais la gorge serrée, les yeux pleins de larmes, une peur qui me donnait envie de vomir, de faire sous moi. Ma mère n'était pas là, mon père se suiciderait automatiquement en apprenant la nouvelle, bien que le Parti désapprouve : il n'admet pas les suicidés dans ses rangs. Et moi... le Traître me pince la joue.

— Qu'est-ce qui t'arrive ? Pourquoi tu ne réponds pas ? Et dire que tu étais si enthousiaste !

La fonctionnaire a des doutes, malgré les cent pesos, elle me demande à nouveau ma carte d'identité. Elle vérifie que je suis bien majeure. Dix-neuf ans passés. Et je meurs d'envie de dire à cette étrangère : Vous savez, camarade juriste, je l'ai connu quand j'étais mineure, mais au bout de trois années de réclusion, je suis une grande et je sais ce que je fais. Je fais ce qu'il me dit car c'est un homme du monde et il sait ce qu'il fait, il agit toujours pour le mieux. Il suit le bon chemin, et moi je lui emboîte le pas, voilà pourquoi je suis sa fiancée, ou son amante, ou sa secrétaire, ou sa bonne – pardon, je voulais dire la camarade qui travaille chez lui, les bonnes n'existent plus depuis le triomphe de la révolution – ou...

— Oui, je l'accepte pour époux.

Ou sa femme. Mariée au palais. Sans robe, sans toasts. Mais avec photos. Sans maman, sans papa. Mais avec photos. Décoiffée, en sueur, habillée en dépit du bon sens. Ce qui compte, c'est le papier, le certificat de mariage établissant qu'il possède une femme, pardon une "compagne". Et les photos, la preuve la plus évidente de notre heureuse et authentique union. Moi, j'ai la tête de la victime dans un film d'épouvante, difficile de trouver plus moche. Comme Mia Farrow dans ce film où elle joue une aveugle, quand on tue toute une famille et qu'elle reste toute seule, enfermée avec l'assassin.

— Dorénavant tu devras m'accompagner à toutes les réceptions. Nous t'achèterons des tenues appropriées et des talons hauts. J'aime quand tu portes des talons, ça te met en valeur. J'ai toujours apprécié que d'autres hommes désirent les femmes que j'ai. Si personne ne les regarde, elles perdent aussi tout charme à mes yeux, elles cessent de me plaire.

En sortant du palais, le premier compliment nous fut lancé par deux jeunes gens qui passaient en taxi.

— Dis donc la minette, tu te tapes ton vieux ?

Il sourit légèrement, alluma une cigarette et se contenta de ce commentaire :

— Ça commence bien.

Je me coupai les cheveux très court. Je commençai à me maquiller. Le Traître se chargea de m'acheter tout le nécessaire. Mes parents furent ravis que j'épouse mon professeur principal, ils ne pouvaient pas faire autrement, et c'était trop tard de toute manière. Mais maman pleura dans les toilettes, je l'entendis. Elle avait rêvé de la robe longue, des invités, de la pièce montée avec les figurines au sommet, de la poignée de riz (la ration mensuelle ne permettant pas d'en jeter plus), et de toutes ces mièvreries des mères dès lors qu'il s'agit de mariage, avec leur fille en blanc. Papa ravala sa colère. Si le Traître n'avait pas été là, il m'aurait cassé la figure. Mais il ne pouvait affronter ni trahir le Traître, le professeur principal, le futur diplomate, qui, après s'être comporté de manière si irréprochable avec la famille, était à présent devenu son gendre. Et je fis mon entrée dans la haute société socialiste tropicale. Au bras d'un homme célèbre. Et chacun regarda avec indifférence cette fille craintive, qui avançait masquée en se tordant les chevilles parce qu'elle ne savait pas marcher sur des talons hauts.

A chaque fois qu'on lui présentait quelqu'un d'important, le Traître répondait avec fierté :

— Enchanté, je suis philosophe.

Mon ingénuité – ou mon ignorance, appelez cela comme vous voudrez – ne m'empêchait pourtant pas de rougir de honte devant une affirmation aussi prétentieuse et douteuse. Dans ce pays, il y a des boxeurs, des joueurs de base-ball, des coupeurs de canne à sucre émérites, des maçons, des internationalistes, des médecins, des poètes, des éducateurs, des critiques d'art, de cinéma... mais des philosophes ? Des philosophes, il doit y en avoir en Allemagne, mais sûrement pas ici, il y a trop de chaleur, de faim, de tours de garde au Comité de défense de la révolution, de réunions pour décider d'autres réunions, trop de conseils, d'assemblées générales, d'assemblées populaires où l'on discute à l'infini des mêmes idioties, par exemple pourquoi le pain n'arrive pas à l'heure, quand il arrive ! Dans ce pays où il n'y a même pas de dignité, de quelle dignité peut-on rêver quand il n'y a ni déodorant, ni patates douces, ni tendresse ?... Un philosophe qui vit dans un repaire immonde, sans salle de bains ni cuisine ? Un philosophe qui se coltine des seaux d'eau ? Et encore, à vrai dire c'était moi qui les portais. Peu importe, il est philosophe. Quoi qu'il advienne. Il n'a pas écrit un seul mot de philosophie, mais prétend qu'il pense beaucoup et que les hommes qui pensent sont des philosophes, et un jour viendra où il couchera magistralement par écrit l'imbroglio qui s'agite dans son esprit, dans son cerveau – mot qu'il déteste parce qu'il le trouve dénué de poésie.

Au début, je rougissais, mais je le croyais, je tremblais d'émotion. Comme c'était beau d'être amoureuse d'un philosophe ! Aujourd'hui encore, le Traître se présente comme un philosophe, et il n'a toujours pas écrit la moindre ligne sur le sujet. L'autre jour, dans la file d'attente pour le poisson, quand il voulut passer devant les autres, en protestant parce qu'un philosophe ne pouvait perdre son temps à faire la queue, une grosse bonne femme lui balança une tarte qui l'envoya dans le caniveau. Après quoi, il lui fallut rester six heures debout, à lire je ne sais quel bouquin de Derrida. Et pas seulement ici, mais partout dans le monde actuel, qui n'aurait pas honte d'avouer qu'il est philosophe ? A quoi ça sert ? Seulement à penser ? A être dans la lune, comme moi ? Moi aussi, je suis peut-être philosophe et je ne m'en suis pas encore aperçue.

Mais le Traître ne se contentait pas d'être un homme de réflexion, il se décrivait aussi comme un homme d'action, un Rambo du communisme, un machiste-léniniste. Un dur qui, dès l'âge de huit ans, avait pris part à la lutte clandestine comme messager. A onze ans, il avait alphabétisé des paysans abrutis au fin fond de la sierra Maestra. A quatorze ans, il avait failli perdre la vie et devenir un martyr – aujourd'hui n'importe quel hôpital aurait pu porter son nom glorieux – en luttant contre les bandits dans les montagnes de l'Escambray. Ensuite, bien sûr, il avait fait son service militaire, il était de toutes les récoltes de canne à sucre possibles et imaginables. (Pourtant ses mains sont celles d'un pianiste, blanches, paumes rosées, douces, pas une ampoule, alors qu'en six saisons de travaux aux champs, mes pieds et mes mains se sont couverts de cors.) Il avait aussi été reporter sous les bombardements au Nicaragua et en Angola. Il jouait les agents importants de la Sécurité de l'Etat, il était toujours en "mission compliquée". Le missionnaire rouge, tel fut le surnom que lui donna une de mes amies, la Vermine. Cela ne l'empêchait pas d'avoir la moitié de la gent féminine havanaise à ses pieds. Comme tous les auteurs d'actions d'éclat, c'est avant tout un coureur de jupons. Je me moquais éperdument de sa panoplie de prouesses, je ne croyais pas un seul mot de ses anecdotes. Je l'écoutais comme on écoute le feuilleton de deux heures à la radio, à moitié endormie, complètement enivrée par la stupidité quotidienne. Je n'étais pas amoureuse du héros, je croyais l'être de l'écrivain. Quant à l'homme... Comment pouvais-je aimer cet homme pervers qui ne parvenait à décharger que lorsque les coups furieux de son pénis faisaient saigner mon sexe ?

C'est pourquoi je pris l'habitude de me caresser. Ce n'est qu'en catimini que je pouvais jouir d'un amour imaginaire. De mon invention. Car cet homme, c'est moi qui l'avais inventé.

Nous partîmes quatre ans à l'étranger. C'était la première fois que je quittais cette île, et c'est un autre roman que je dois écrire. Je pleurais dans l'avion, je récitais tout bas, en jouant les poétesses comme la Avellaneda :

Perle de l'Océan ! Etoile d'Occident !
Cuba la belle ! Ton firmament qui tant brille
Recouvre la nuit de son voile qui scintille,
comme la douleur recouvre mon front distant.

Je m'en vais partir !... et le peuple diligent...

Je répétai ce sonnet des centaines de fois, comme un credo devant l'autel, jusqu'à ce que la terre disparaisse, qu'il ne reste plus que des nuages, puis le néant... Un néant d'ennui qui m'endormit. Ce sommeil – ou ce cauchemar – se prolongea pendant les quatre années de mon séjour dans ce pays lointain, plus précisément européen, où l'on me transférait en qualité d'épouse accompagnatrice. Je continuais d'être la laide au bois dormant, la mal-aimée, la sans-destin, toujours suspendue à la phrase qui pouvait tout détruire, au fracas qui me réveillerait.

Le Traître passa tout ce temps enfermé dans une mansarde à écrire un roman qui devait, à l'en croire, laisser sur le carreau le plus balaise des candidats au prix Nobel. Le produit fini réunirait les caractéristiques suivantes : il serait gothique et superhermétique, comme ceux d'Umberto Eco, surtout *Le Pendule*, il aurait la profondeur philosophique de Marguerite Yourcenar et de Thomas Mann, les terribles effluves du *Parfum* de Patrick Süskind, la densité poétique d'Hermann Broch, la sécheresse rigoureuse de Beckett, et naturellement la cubanité de Lezama et de Carpentier. Ce roman, ce *masterpiece* qu'il élaborait, ressemblait plutôt à un collage des derniers auteurs abordés par les critiques du *Magazine littéraire*. Par ailleurs, personne ne pouvait lire une seule ligne de ce qu'il écrivait, dès qu'il avait de la visite, il cachait tous les papiers qui jonchaient son bureau en fin acajou du Honduras, acheté chez Roche & Bobois. S'il sortait – événement rarissime – il conservait jalousement le manuscrit dans un coffre-fort. Je commençais à m'interroger.

Le Traître ne dormait que si je m'absentais et il me flanquait dehors à tout instant, sous prétexte que je devais aller au musée, au cinéma ou chez une amie quelconque, ou lire dans les jardins publics, "tours" que je devais payer de ma poche. Je partais à huit heures du matin et revenais passé minuit, morte de nostalgie, de froid, de faim. Et je rapportais une chose bien pire, ou bien meilleure, une grande chose en tout cas : le doute. Jusqu'à quand ? Dans les films, dans les livres, dans les maisons et dans la vie des autres, l'amour n'était pas ainsi.

Un après-midi, je rentrai à l'improviste, il était en train de prendre son bain, en trois enjambées j'allai de la porte au bureau, laissai ouvert pour qu'il n'entende pas le bruit de la serrure. Je retournai ses papiers, essayant de lire des bribes de l'œuvre maîtresse : trois cents pages remplies de cette phrase unique :

"Tout le monde me poursuit, je ne peux pas écrire car tout le monde me poursuit."

Et cette phrase, répétée à satiété, jusqu'à la page trois cent. J'entendis le jet de la douche diminuer et en trois bonds je me retrouvai dans l'escalier – j'avais eu le temps de refermer la porte sans bruit. Dans la rue, il neigeait, je sentais un putain de froid me glacer, quel salaud, et pendant ce temps je crevais la dalle, j'avais mal aux ovaires, mal au ventre, je chiais sous les ponts, je bouffais des baguettes à tout bout de champ parce que c'était le pain le moins cher – il paraît qu'il a augmenté – et le meilleur, mais on se lasse même de manger du pain à tout bout de champ, *a cappella*. (J'aurais donné mon cul pour un plat de haricots noirs, mais là-bas non plus il n'y en a pas. "Là-bas", c'est Cuba. Là-bas, quand y aura-t-il tout ce qu'il doit y avoir ?) Je devrais me précipiter à l'ambassade des Etats-Unis pour demander l'asile, non pas politique, mais marital. Je dormais dans le métro, j'allais de maison en maison – je finissais par être mal vue, à mon arrivée, les gens semblaient dire "Voilà la délaissée qui rapplique", on avait épuisé tous les sujets de conversation –, de cinéma en cinéma, dépensant mon fric même en films pornos, de musée en musée, saturée de sculptures et de tableaux, de catalogues, d'affiches, de cartes postales, de photos, et tout cela coûte de l'argent, encore de l'argent, toujours de l'argent, et pas un seul ami à qui raconter que Gustave Moreau est le peintre qui a le plus chamboulé mon existence, l'un des principaux en tout cas. J'ai été la conne du siècle, convaincue que par mon sacrifice, je contribuais à la grande œuvre d'un écrivain cubain qui est, de surcroît, mon mari. Il est encore mon mari car je dois signaler que le matin, quand je suis à la porte, prête à sortir, lavée, coiffée, parfumée, avec mes vêtements propres et repassés, mon manteau impeccablement brossé, sans une poussière, c'est à cet instant précis que lui vient l'envie de me prendre tout habillée, sur le couvre-lit blanc qui peluche ou sur la moquette crasseuse – car il ne risque pas de dépenser un centime pour acheter une bombe nettoyante, moi non plus, évidemment. (En tant qu'épouse accompagnatrice je gagne soixante dollars par mois, et je n'ai pas le droit d'avoir un travail.) A ce moment-là, je dois me déshabiller, me relaver, introduire un ovule de nystatine dans le vagin parce qu'il a eu semble-t-il des rapports avec une Vénézuélienne de l'Unesco qui lui a refilé une trichomonase carabinée. Reste calme, remets-toi du parfum, du rouge à lèvres. Quand tu sembles enfin pouvoir sortir pour affronter les flots glacés du matin, il s'approche, doux, presque tendre, et sans défense :

— Mon amour, tu as pensé à me préparer le repas ?

Of course, my dear, honey, darling, mon chéri, mon lapin, mon petit cœur, mon trésor, etc. Bien sûr que j'ai laissé ton repas archipréparé, ce déjeuner que tu dévoreras sans penser à moi, sans même me laisser les restes. Le dîner que tu vas engloutir en te pourléchant les babines, sans en laisser une miette pour ton amour, oh baby, à part les assiettes entassées dans l'évier, les taches de café partout, les mégots, les cendriers pleins à ras bord.

Dans la rue, je me souvins d'avoir déjà vu ce film : *Shining*. Lui, tout comme Nicholson, il écrivait la même phrase, tuait tout le monde, vivants et fantômes… et moi, à l'intérieur du labyrinthe, toujours en fuite, en larmes. Dans l'attente du coup de hache dans le dos, du couteau fendant la porte de la salle de bains. Non, me dis-je. Un NON plus énorme que n'importe quelle campagne politique latino-américaine. Je ne peux plus vivre avec ce fou. Parce qu'il est en train de me rendre malade, dingue. Je suis déjà une psychopathe.

A mon retour, je fus sincère, une fois de plus. Je lui avouai que j'avais découvert son roman et que je l'avais lu.

— Génial, n'est-ce pas ? fut sa réponse toute socratique, en forme de question.

Pendant que je faisais mes valises, il menaçait de se suicider. J'allai chercher le couteau à la cuisine et sans un mot, très tranquillement, je le lui mis dans les mains. Il continua de se lamenter. J'allai chercher du cyanure dans l'armoire à pharmacie, je le préparai. Il continua de geindre. L'avant-dernière chose que j'entendis fut :

— C'est de ta faute si je ne peux pas écrire. Je sens que tu m'espionnes et cela m'inhibe, c'est toi la coupable.

Je fus à deux doigts d'éclater de rire parce que je me rappelais la suite du boléro, toutes les paroles, de A à Z. "C'est toi la coupable, de toutes mes angoisses, de tous mes malheurs. Tu as rempli ma vie de douces incertitudes, d'amères désillusions..." Et le Traître se précipita vers moi, il me mit la lame aiguisée entre les mains, ouvrit la veste pourpre de son pyjama cardinalice et me supplia à genoux :

— Tue-moi ! Tue-moi !

Pas question, pensai-je. Je voyais déjà les titres dans les journaux et aux informations : "Un talentueux écrivain cubain meurt sauvagement assassiné et coupé en petits morceaux par sa jeune épouse, une bonne à rien qui s'ennuyait et passait son temps à vagabonder tandis qu'il s'échinait à écrire son dernier et génial roman." Je rassemblai mes affaires comme je le pus, à la vitesse grand V, au milieu de ce chapitre digne du plus infâme des feuilletons vénézuéliens.

Je crus qu'il n'aurait aucun mal à m'oublier. Un jour, alors que nous déjeunions dans un restaurant havanais au nom français, le *La Fayette*, il m'avait dit qu'effacer une femme de son existence ne lui posait aucun problème : il n'avait qu'à penser à ses défauts physiques et grâce à cette méthode il l'exterminait. Et des défauts, j'en ai plusieurs par malheur. Ou par chance.

L'avion, le divorce. J'eus un autre amour. Je me mariai et devins veuve deux ans plus tard. Oui, je suis aussi une jeune veuve. Je le perdis dans un accident d'avion. Cela pourrait être un autre livre d'amour, celui que peut-être je n'écrirai jamais. Car on ne peut pas tout écrire de toute la vie, et la douleur reste profonde, latente. Ou bien pourrai-je l'écrire ? Je mis du temps avant de retomber amoureuse. Mais j'y arrivai. Est-ce que j'oubliai ? Non, je n'oubliai pas, simplement je me suis mise à tomber amoureuse. Maintenant, je ne suis plus cette gamine qui a toujours la larme à l'œil et le feu aux fesses. Je passe mes journées dans la lune, ou je vais sur le Malecón pour revendre en dollars aux prostituées les vêtements dont je ne me sers plus, ou bien échanger du sucre contre du manioc, du manioc contre des haricots, des haricots contre des oignons, des oignons contre du riz, du riz contre du lait en poudre, du lait en poudre contre du détergent, du détergent contre de l'aspirine, de l'aspirine contre du sucre, et ainsi de suite… au marché rouge et noir, où se rencontrent les voleurs de l'Etat et le pauvre peuple qui, pour des raisons évidentes, ne pourra survivre sans tomber dans la délinquance. On dirait les paroles d'une chanson de Pablo Milanés.

Le Traître, de son côté, est aussi revenu ici, à son cher pays natal, et il s'est remarié plusieurs fois, mais les femmes le plaquent car elles refusent d'être prises pour des espionnes. Il continue d'écrire des livres qui ne sont pas publiés, parce que, non seulement il faut attendre que les pays qui ont mauvaise conscience nous donnent du papier, qu'il y ait du courant dans les imprimeries, mais, en plus, bordel, qui voudrait publier un livre de cinq cents pages qui répète la même phrase ?

Un matin, le Traître frappa à ma porte, c'était un dimanche, des années avaient passé, dans ses mains se fanait une orchidée.

— Tiens, un catleya, précisa-t-il, en jouant les Proust.

Et moi, j'étais seule. Je voulus sauver cette fleur assoiffée. Il me faisait pitié, il avait pris un sale coup de vieux, il était maigre, chauve et voûté, les dents cariées et branlantes. Et je savais – parce que je venais de me voir dans la glace – que je rayonnais de toute la lumière de mes trente ans. Pourquoi pas ? Et je le fis entrer.

V

DE LA SCULPTURE A L'EX-CULTURE

Je suis parvenue à la conclusion que l'acte le plus important de ma vie est de me réveiller. Me réveiller de la torpeur imposée par l'épaisse réalité. Me réveiller chaque matin et boire un café en constatant que la mer est toujours là, en la caressant des yeux derrière les fenêtres de mon refuge hexagonal. Me réveiller, boire un café et regarder la mer, telle est ma plus grande ambition. La mer ne partira jamais ? Pourquoi grossit-elle au lieu de se retirer, et déborde-t-elle en faisant disparaître le mur de la jetée, les maisons, en dérobant les objets et les vies ? Quel péché ce peuple a-t-il commis, que la mer lui fait expier avec de plus en plus de hargne ? Pourquoi la mer ne peut-elle s'en aller, se perdre, pour laisser pousser des fleurs à sa place, un immense jardin pour les enfants, les jeunes, les vieillards, pour tout le monde ? Ces derniers temps, la mer est en rogne. Et à cause de la mer, Hernia, la voisine, a été internée dans un asile de folles et de dingues. Elle habite au rez-de-chaussée et la mer est entrée, lors du cyclone du siècle, sa maison a été inondée jusqu'au-dessus du plafond, elle a perdu ses meubles, la cuisinière américaine, le lave-linge russe, les ventilateurs japonais, le réfrigérateur cubain, les matelas qu'elle avait achetés en 1952 au magasin *El Encanto* pour son mariage, les fauteuils tapissés de velours frappé, la télévision en couleurs – elle ne pourra plus voir *Felicidad*, le feuilleton brésilien, qui passe le lundi, le mercredi et le vendredi, quand il y a du courant. Elle a perdu ses canaris, parce que si elle a pu grimper jusqu'au second étage avec le chien, personne n'a pu l'aider à y monter ses quinze cages à oiseaux. Chacun essayait de sauver ses propres affaires. D'ailleurs la mer est entrée brutalement, sans prévenir. Hernia pleure et à présent elle ne regarde plus la mer comme moi, avec amour, elle la maudit, elle lui fait les gros yeux, elle fait la gueule à la déesse Yemayá. Et parfois, lorsqu'elle veut bien se réconcilier, elle lui lance des offrandes en la suppliant de ne pas recommencer, elle multiplie les dons aux divinités pour obtenir les bonnes grâces du gouvernement, qui lui a promis au moins de lui vendre de nouveaux matelas, mais il fallait en échange les anciens, même gorgés d'eau salée, car ils étaient la preuve que la mer avait bousillé sa maison et qu'elle n'était pas en train d'inventer des salades, des bobards quelconques, histoire de revendre les neufs au marché noir. Mais l'Océan a emporté ses matelas, quand il dit j'arrive, il se moque éperdument des matelas américains, il avale tout. “Eh bien si vous n'apportez pas les matelas, camarade, vous n'en aurez pas d'autres.” Et Hernia n'a pas les vieux matelas, la mer les a dévorés, et même si elle les avait, elle n'a aucun moyen de locomotion pour les apporter à l'endroit où elle a le droit de s'inscrire, en tant que sinistrée du cyclone du siècle – de toute façon, les nouveaux matelas ne sont pas arrivés et ne vous faites pas d'illusions, ce ne sont pas des matelas à deux places, mais des individuels –, afin de pouvoir en acheter des neufs quand ils arriveront pour les remplacer. On pourrait se demander : pourquoi cette brave femme se donne-t-elle tant de mal pour deux malheureux matelas, pourquoi ne va-t-elle pas les acheter, de sa poche, dans un magasin, tout simplement ? Parce que dans ce pays il n'y a pas de boutiques en monnaie nationale, et au *Salon* – magasin d'ameublement en devises réservé aux étrangers –, les matelas coûtent presque cinq cents dollars. Et à tout prendre, entre les œufs, le lait, autrement dit la nourriture, et les matelas, c'est de la nourriture dont Hernia a le plus besoin. Elle ne va pas dépenser les sous que sa famille lui envoie de Miami à s'acheter des matelas, en plus il faudrait qu'elle économise un siècle pour y arriver. En attendant, elle couche sur la dure, et elle regarde les taches que la mer a gravées sur les murs et au plafond, car elle ne peut pas fermer l'œil. Son psychiatre lui a prescrit des calmants, mais elle n'en a trouvé aucun en pharmacie, sur toute l'étendue du territoire. Alors, elle ne veut plus entendre parler des hommages que les gens rendent à la mer et à d'autres choses. Elle est – comme son nom l'indique – la hernie du quartier, celle de la société.

Les moindres événements sont devenus pour moi un gaspillage de temps intolérable. Devant la glace, je réfléchis pendant un temps infini, la bouche barbouillée de dentifrice, ce mois-ci je l'ai échangé contre des petits pois. Ce qui auparavant me prenait quelques secondes me prend à présent des heures. Aujourd'hui, je ne peux pas me plaindre, j'ai bien utilisé mon temps. Aujourd'hui, pour cette raison, je me sens plus sûre de n'avoir rien perdu. A neuf heures j'étais déjà là, au bureau, à passer en revue les papiers que je passe en revue depuis des années, les articles que les auteurs eux-mêmes ne se souviennent plus d'avoir écrits. Je suis restée tranquillement dans la lune, à méditer, minutieusement, à me creuser la cervelle, et cela m'a pris une bonne partie de la matinée. A midi pile, j'ouvrirai le petit sachet, je prendrai mon repas, plus détestable que délectable, et je rêverai une après-midi entière de plus des publicités de nourriture que je vois sur les chaînes américaines. Mon voisin a acheté – à un particulier et en dollars – l'antenne parabolique qui pirate le signal du satellite et il a branché dessus un petit engin des plus sophistiqués qui défie toute tentative de brouillage de la part du gouvernement, personne au monde ne pourrait l'empêcher de voir la télévision américaine, tout aussi merdique, mais qui passe au moins des films et des publicités sur la bouffe, les déodorants, les shampoings. Il l'a raccordé par la même occasion à mon poste de télévision, comme ça je peux aussi en profiter, mais ce n'était pas par bonté d'âme. Son problème est qu'il n'a pas de fenêtre qui donne sur l'antenne parabolique de l'hôtel *Habana Guitart Libre* (*Libre* ? *Habana Hilton* sous la République, *Habana Libre* sous la révolution, il est devenu *Guitart*… sous le néocolonialisme espagnol ?), alors il m'a demandé ma fenêtre, en me suppliant de lui donner celle-ci contre le branchement.

Et maintenant je n'ai rien à faire. Je pourrais aller – personne ne s'en rendrait compte – à la plage. A quelle plage ? A vélo, sous un soleil à vous pourrir les papayes ? (Ah, papayes ! Quelle nostalgie ! Vous n'êtes plus qu'un mot à savourer en littérature !) Peut-être pourrais-je choisir d'aller voir un ami, pour dissiper ce sentiment de solitude. Mais je vois d'ici le sujet de conversation : à quel point les "choses" vont mal, horriblement mal. Suivraient les discussions sur les "choses" et sur les nouvelles du monde, histoire de transférer le poids de nos propres défauts sur d'autres pays, de préférence les pays de l'Est. (Car maintenant le pire, ce n'est plus le capitalisme des capitalistes, mais le capitalisme des anciens pays socialistes.) Je préférerais peut-être ouvrir un livre et lire, mais vers quelle lecture tourner mon esprit, sans le tourmenter plus qu'il ne l'est déjà ? Et pourquoi fuir l'angoisse ? Au bout du compte, je regagnerais mon refuge hexagonal et, le soir venu, je regretterais d'avoir gâché une merveilleuse journée de soleil, je trouverais la blancheur de ma peau répugnante. Si je choisis de rendre visite à des amis, ce soir je me coucherai avec la certitude d'avoir perdu mon temps à ressasser la même litanie. Et je me rendrai compte que l'obscurité s'épaissit tandis que je continue de tripoter un bouquin dont je n'ai pas lu un traître mot. Si je vais à la plage, je serai crevée, archicuite par le soleil, et pas une goutte de vinaigre pour mes brûlures. Il n'y en a même pas pour les salades, disparues elles aussi. Qui se souvient encore des salades ? Je souhaiterais certainement que le jour ne finisse pas, que la nuit ne revienne pas, que les signes lumineux du temps qui passe ne m'effraient pas – je veux parler de ceux de mon réveil (je prie pour que ses piles durent longtemps). D'ailleurs aujourd'hui, je m'en souviens tout à coup, je passerai ma soirée avec le Nihiliste.

— Yocandra, Yocandra, réveille-toi…

C'est Rita, cette secrétaire qui a les pieds malades, en capilotade, pour avoir ramassé des pommes de terre sans bottes ni tennis. Il y a dix ans on lui a prescrit des chaussures orthopédiques, elle les a commandées, mais entre-temps le mur de Berlin est tombé, et les chaussures étaient fabriquées en République démocratique allemande. Résultat : elle porte des tongs en plastique qui l'aident vaguement à supporter les élancements et la douleur des cors.

— Oui, je t'écoute, je suis réveillée, je pensais à la maquette de couverture du prochain numéro de la revue.

Elle me jette un regard douloureux, les pupilles lourdes d'une souffrance vieille de dix ans, et elle me répond avec compassion :

— Mais ma chérie, de quelle couverture me parles-tu ? Elle ne se souvient même plus du motif pour lequel elle se rend chaque jour de sa vie ici.

— De celle de notre revue.

— Ah, je l'avais complètement oubliée ! Ecoute, je suis venue t'avertir parce que la fille qui travaillait à l'ordinateur, tu t'en souviens, elle avait dû demander un congé parce qu'elle habite à perpète et elle n'a pas pu avoir de vélo, la boîte en manquait… Tu vois qui je veux dire ? Eh bien, figure-toi qu'elle est en bas, elle vend des œufs et du fromage maison, ça t'intéresse ? Il faut se grouiller car ils partent comme des petits pains, et tu vois le temps que je vais mettre à descendre quatorze étages sans ascenseur avec mes pauvres pieds. Alors, ça te dit ?

— Oui, ma belle.

Oui, mon cœur, mon ange gardien, ma douce compagnie, ne me quitte pas, ni le jour, ni la nuit… à n'importe quel prix, des œufs et du fromage. Une petite omelette au fromage pour ce soir est un mets digne des dieux. Le Nihiliste m'a assuré qu'il apporterait à manger, mais on ne sait jamais. Rita n'est pas seulement une secrétaire, elle est mon ange salvateur dans le domaine alimentaire, c'est elle qui se charge de "m'obtenir" (verbe clé à Cuba) absolument tout ce qui peut s'acheter côté nourriture. Rita est une mère pour moi, son sujet de conversation est toujours la bouffe. Il est vrai que maman, la pauvre, m'aide aussi comme elle peut, quand la mémoire lui revient.

Dans le quartier, on a changé le nom de maman. Au lieu d'Eva, les gens l'appellent *l'Evadée*. Elle est retournée dans le passé. Elle n'est plus là. Elle vit au passé simple. L'Evadée rêve de ma naissance, délire sur mon enfance. Quand je lui rends visite, elle prend ma tête entre ses mains, elle me blottit contre ses seins pelés, elle me berce dans la chaise à bascule, elle cherche à m'endormir en me chantant "Douce nuit… sainte nuit… tout s'endort, pas de bruit…". Elle se lève et va à la cuisine sur la pointe des pieds pour préparer, dit-elle, mon lait car c'est déjà le moment du biberon de trois heures. Bref, maman est partie, et elle ne reviendra plus.

En revanche, sa mémoire du passé, sa "rancœur du passé" comme on disait à l'école, est devenue insoutenable. Elle se souvient du strict minimum. Elle lit à voix haute, comme ceux qui font la lecture aux ouvriers des manufactures de tabac, et confond tout, ou mélange tout délicieusement. Par exemple, elle appelle l'immeuble où elle habitait avec mon père quand je suis née le *Solar de Babel*. Il était habité par toutes sortes de gens bien : les patrons polonais des ateliers de tissage, les propriétaires asturiens de la boutique de glaces *El Anón*, rue Muralla, les épiciers et charcutiers galiciens, les pâtissiers français, les bouchers irlandais, les teinturiers et restaurateurs chinois. Peu à peu, sont venus s'installer les Noirs, tous des bandits, à l'exception des Noirs qui occupaient depuis des générations la loge du concierge, des gens on ne peut plus honnêtes, instituteurs de leur état. Et après, au début des années soixante, sont venus les Soviétiques, réputés pour le fumet de leurs aisselles.

Heureusement, à l'époque mon père faisait déjà partie de l'élite nationale des coupeurs de canne à sucre. Un soir, un camarade frappa à la porte, mon père, en pyjama, était encore en train d'écouter un discours de plus à la radio, le même discours débité chaque 26 juillet. Maman faisait la vaisselle dans la cuisine en fredonnant un air du duo Juan y Junior ("Aussi gris, presque, que cet océan d'hiver…"), qu'elle avait entendu dans l'émission *Nocturno*, le seul programme de musique potable de ces années-là. Et moi ? Si je me souviens bien, je faisais ou j'étais censée faire mes devoirs du cours élémentaire. Le camarade entra, tout sourire, avec l'air d'avoir une bonne nouvelle à annoncer. Il regarda papa, le serra dans ses bras, et, les larmes aux yeux, il lui tendit deux clés. Papa comprit, il ouvrit une bouteille de rhum, servit quatre verres. Tout le monde trinqua, même moi, c'était la première fois que je goûtais de l'alcool. Maman, qui vivait encore dans le présent, pouvait à peine parler tant elle était folle de joie.

— Enfin une maison neuve, Seigneur ! Sainte Vierge ! Ma chérie, ma Patrie, tu vas avoir une chambre pour toi toute seule, nous pourrons fêter ton anniversaire, tu inviteras plein d'enfants ! La voiture est soviétique, ce n'est pas bien grave, elle a quatre roues et nous pourrons t'emmener, ma douce Patrie, à la plage, au zoo, nous te ferons visiter Santiago de Cuba !

Papa s'approcha, tout ému, ce fut la dernière fois qu'il plongea profondément ses yeux dans les miens, et il embrassa la Patrie. Moi. Puisque tel était mon nom.

J'attrapai le hoquet. J'enfouis la tête dans mes bras croisés sur la table, de grosses larmes coulèrent sur mes devoirs, brouillant l'encre. Je ne voulais pas quitter mon école, mes instituteurs, mes copains. Maman – celle qui allait encore vers l'avenir – me conduisit à la salle de bains, elle aspergea d'eau mes joues en feu. Elle m'expliqua que je n'avais rien à craindre, j'aurais d'autres professeurs, meilleurs encore, des amis bien élevés, une grande école avec un jardin. C'était une maison dans le quartier du Vedado. Enfin nous allions sortir de cet enfer qu'est Centro Habana. Maman – celle qui allait de l'avant – réduisait en charpie mon univers.

— Mais ma fille, enfin, essaie de comprendre, d'ailleurs tes copines, les Régentes, j'ai parlé hier avec leur mère. Elles quittent le pays, de toute façon, tu vas les perdre.

— C'est pas vrai maman ! Pourquoi tu me racontes des mensonges, pourquoi ? Vous n'avez qu'à tous partir, moi je resterai dans ma petite maison, dans mon petit lit, avec mon ours et mes contes de fées, qui racontent aussi des mensonges ! Tous des menteurs, des arnaqueurs, des fous !

Tous, sauf maman. Les Régentes sont parties aux USA, comme disait mon père : Mercedes la blonde, yeux verts et cheveux longs, Lourdes la brune, yeux verts et cheveux longs, Chachita la rousse, yeux verts et cheveux longs. Mes copines vibrant dans le souvenir. Maman a dit vrai.

La Lada ne fut pas si traumatisante. Je la remarquai à peine. Le véritable choc, ce fut quand le président du Comité de défense de la révolution rompit les scellés et que papa ouvrit la porte de l'immense maison du Vedado, un joyau architectural, avec un jardin, une cour, une arrière-cour. Papa entra, méfiant, l'air sinistre, flairant quelque chose de louche, examinant le moindre recoin, de peur qu'il ne reste encore une bestiole – c'est du moins ce que je compris en l'entendant dire qu'il n'aimait pas hériter d'un *gusano*, d'un ver de terre. Et maman se rongeait les ongles, les yeux éblouis. Le délégué du CDR bâilla et s'en alla : il avait encore une foule de gens à dénoncer et il était debout depuis l'aube, occupé à surveiller les allées et venues autour du pâté de maisons.

La demeure avait appartenu à un sculpteur qui était parti à Miami. Maman me prit par la main et entreprit de me montrer les objets comme dans un musée. L'humidité dévastait de magnifiques tableaux de paysages cubains, des portraits anciens ou des œuvres de peintres cubains vivant à l'étranger. Soudain, maman s'arrêta devant un tableau et s'écria, au comble de l'extase :

— Un Lam ! Un Lam authentique !

— Tant de raffut pour ce gribouillage ?... s'interrogea papa.

Maman s'était de toute évidence rendu compte de l'erreur qu'elle avait commise en tombant amoureuse du fils du paysan – mon grand-père paternel – qui avait prêté de l'argent à son père – mon grand-père maternel – pour qu'elle et son frère – mon oncle – puissent terminer leurs études à La Havane.

Car maman avait fait ses études avant la révolution – grâce à l'argent de celui qui allait devenir son beau-père, comme ne cessait de le lui répéter papa –, et elle était bachelière. Elle s'était inscrite ensuite en histoire de l'art mais n'avait pu terminer ses études, parce que la révolution avait triomphé à ce moment-là, elle avait préféré devenir milicienne et partir aux champs récolter le tabac. Mon père, quant à lui, en était encore à suivre les cours de l'Université ouvrière et paysanne, son père n'avait pas voulu en faire un ingénieur en ceci ou cela. Il pensait, et il avait raison, que la terre a besoin de bras, de mains expertes et amoureuses, pour lui la terre avait plus de valeur qu'un diplôme. Mille fois je dus faire réviser ses maths à mon père, car nous en étions tous les deux au même point. Des années plus tard, je devinai que ma mère avait dû se marier en contrepartie de cet argent prêté. Mais si mon père était un petit paysan rustre, il était néanmoins, pour notre plus grand bonheur, très beau garçon, comme ceux que peignait Servando Cabrera. L'erreur était que, même si elle était folle de lui au lit, ils n'avaient rien en commun, hormis les tâches accessoires de la révolution. Il détestait le théâtre, s'endormait au cinéma et avait le ballet en horreur. C'est pourquoi il ne comprenait pas l'admiration de maman devant tous ces meubles anciens, toute cette bimbeloterie bizarre en porcelaine tarabiscotée, ces ornements bourgeois, ces tableaux comme au musée, et la débauche de tissu des rideaux à ramages violets.

— Cette maison ne me plaît pas, décréta-t-il sèchement, et il tourna les talons en direction de la rue.

Maman le rattrapa à la porte, elle se planta devant lui, le supplia, pleurnicha, se mit à genoux, lui baisa les pieds… Lui restait immobile. N'ayant pas le cœur de supporter le spectacle démesuré de cette mélodramanie, je décidai d'aller fouiner dans les chambres. Les portes cédèrent sans peine quand je les poussai. Le contenu des pièces m'inspirait un mélange de fascination et de terreur : des chambres Art nouveau en bois précieux, des lampes Tiffany, des vases de Gallé, des verreries de Lalique, des toiles, des porcelaines, de la vaisselle anglaise, des tapis persans… Seule une porte d'un vert pompéien résista quand je la poussai de mon postérieur, mais un coup de ma chaussure orthopédique (j'ai toujours eu les pieds plats et le métatarse avachi) suffit à l'ouvrir. L'intérieur était baigné d'une lumière sépia, comme dans les films de Tarkovski quand tout commence à basculer dans l'étrange et la parapsychologie. J'avais les yeux exorbités devant tant de splendeur. Des hommes prodigieusement nus et statiques, juchés sur des socles, épiaient le moindre de mes mouvements. Souriants ou circonspects, voire avec une expression de colère pétrifiée, les danseurs s'abandonnaient à leur ballet immobile. Une peau rosée couvrait un abdomen gorgé de tendons, des doigts taquinaient l'œil du nombril. Une paire de fesses noires et luisantes étincelait dans cette langueur crépusculaire, la main ferme et musclée tenait solidement un superbe sexe brun, incomparable. Une poitrine turgescente de mulâtre athlétique défiait les bretelles qui frôlaient à peine les mamelons foncés. Je ne savais que faire devant tant de beauté. Je découvrais la nudité masculine, et j'étais enchantée ! Un beau jeune homme au front couvert de boucles somnolait, il avait des lèvres charnues exquises, si humides, si folles, si provocantes… je m'approchai, traînant un petit tabouret sur lequel je montai, et je l'embrassai. Il était froid, mais je le réchauffais de ma petite langue serpentine. C'était la première fois que j'embrassais, mais je savais déjà, grâce aux explications pédagogiques d'une amie, que pour un baiser il fallait ouvrir la bouche, tirer la langue et l'agiter de droite à gauche et de haut en bas.

Sous le charme, je courus à travers toute la maison en dansant comme le cygne du *Lac*. A la porte d'entrée, mes parents n'en revenaient pas. Papa râla – l'acuité acoustique de mes tympans avait triplé – que cette maison était hantée, la preuve : je tourbillonnais comme une possédée à travers les couloirs et les chambres. Maman me sauta dessus et me secoua par les épaules. Je revins à moi et j'eus le malheur de m'écrier :

— Papa, maman, là-bas, dans la pièce, il y a plein de types avec le zizi et les fesses à l'air !

Tout est arrivé par ma faute, c'est sûr. Papa se mit à courir en soufflant comme un zébu. Il fit irruption dans la pièce, qui perdit la magie de sa couleur sépia. Le soleil constella aussitôt ces corps glorieux de taches cruellement réelles. Papa partit à la recherche d'un bâton, n'importe quel objet destructeur, puis il frappa des omoplates, fractura des jambes, des bras, fendit des joues et des crânes, déchiqueta des torses, pulvérisa lèvres et pénis, broya fesses et aisselles. Ces jeunes gens ne se rebellaient pas, leurs yeux de poussière chaviraient avec une fixité tranquille dans la plus ardente éternité. Je voulus les sauver. Quand j'entrai, un rayon doré blessa mes pupilles et mon père m'écarta d'un coup de planche sur la poitrine. En retrouvant la vue, je caressai les débris et découvris la conscience de la faute. Mon père emportait les décombres et les lançait devant la porte d'entrée.

— Je t'en foutrai, moi, du sculpteur, un pédé de première, oui ! un enculé de merde !

Maman ne tenait pas en place et se mordait les poings pour ne pas crier. Quand papa eut fini de rassembler une montagne de débris à la porte, il respira profondément, rassembla sa salive et cracha avec rage sur les cadavres de plâtre et de bois. Ceux de fer et de marbre avaient aussi beaucoup souffert, mais des parties immenses et provocantes étaient restées intactes. Papa aspira de l'essence du réservoir de l'auto avec un tuyau d'arrosage, la répandit sur les restes et craqua une allumette. Ce fut aussitôt le brasier. Toujours le même. Celui que chaque homme porte au fond de lui, dans le seul but d'exterminer.

— Dis-toi bien que je vais rester dans cette maison, parce que je ne peux pas me payer le luxe de choisir, mais tu me vires ces saloperies de bibelots et de peintures, et que ça saute !

C'est ainsi que papa menaça ma pauvre mère, épuisée par ce délire machiste et impie.

Je contemplais la montagne de corps martyrisés. Quand une fille nubile livre ses lèvres à une statue, il faut s'attendre à ce qu'un événement singulier survienne. (Tout bon Cubain à tendance à convertir le moindre de ses actes en signe transcendantal.) J'avais, pendant d'infimes secondes, aimé une sculpture. Et pendant d'infimes secondes aussi, j'étais devenue sa dénonciatrice, son bourreau.

Pleine de remords, je me cramponnais à l'idée de ne pas abandonner cette demeure. Ma mère et moi nous gagnâmes la bataille. Nous déménageâmes tout de suite, et elle apporta ses robes à petits carreaux et le drapeau cubain que le Che avait posé sur son ventre le jour où elle avait accouché. Au début, nous occupions à peine l'espace de la maison, nous n'utilisions qu'une chambre – j'avais peur de dormir seule –, ainsi que la grande cuisine qui nous servait de salle à manger, et la salle de bains toute carrelée, au sol de marbre. Petit à petit, nous investissions la maison et prenions possession des autres pièces, processus parallèle à ma propre croissance. Car je grandis en intégrant parfaitement, à la surprise générale, ces ornements et ces meubles, comme si j'étais née au milieu d'eux. Papa était un peu jaloux, visiblement mal à l'aise, il protestait en disant que j'avais l'air d'être la fille du sculpteur homo émigré, plutôt que la sienne. Les années passèrent et la pénurie s'aggrava. La condition imposée par mon père à ma mère ce fameux jour (et qu'il avait fini par oublier) dut se réaliser, mais bien malgré nous. Mon père avait en effet fini par ne même plus remarquer le décor : il ne faisait qu'entrer et sortir, très absorbé par les tâches liées à la récolte de canne à sucre, aux pourcentages, au travail volontaire. Mais la situation empira et maman fut obligée de se débarrasser peu à peu de ce qu'elle appelait elle-même les trésors de la maison. Un jour, je la trouvai dans le salon, la mine désolée, serrant encore contre elle un vase de Gallé, devant une femme qui lui tendait un sac de toile de jute contenant du porc. La scène n'avait rien d'exceptionnel, nous aurions ainsi de la viande pour un mois. Elle se mit à troquer et à vendre, tout d'abord à des particuliers, puis aux ténébreuses boutiques *Hernán Cortés*, où l'Etat achetait des merveilles pour une bouchée de pain. Ma mère vendit un Bellini pour cinquante dollars, qu'elle dépensa en dentifrice, savons, bouillons concentrés, steaks flasques et lait. Le seul Bellini qu'il y avait à Cuba. C'était un Christ et l'employé qui l'estima l'agita comme s'il jouait des maracas pour voir s'il ne contenait pas de pièces d'or cachées. Il commenta distraitement :

— Pancho, tu notes : encore un saint, une croix, grande, lourdingue… File-lui, voyons voir… Cinquante dollars. Elle s'en est bien tirée la petite dame !

Ma mère gardait pour elle sa douleur, cuisante. Elle connaissait le prix de ce Bellini. Incalculable, comme la dette extérieure. Une seule chose ne quitta jamais la maison, le gribouillage cher à son cœur : le Lam.

Mais maman commença à s'évader d'elle-même en 1967, quand le Che fut assassiné. C'était son idole, bien plus que son Jorge Negrete ou son Pedro Infante. Je me souviens qu'en rentrant de l'école, je la trouvai en pleurs, la tête enveloppée dans le drapeau cubain, braillant à vous fendre le cœur :

— Mais pourquoi, pourquoi, pourquoi ?

Et elle ne savait rien dire d'autre. Papa la regardait en silence, l'air funèbre et crispé, les yeux remplis de larmes. Je m'approchai de son visage et j'embrassai l'étoile du drapeau, qui était juste sur son front. Maman ne s'est jamais remise de cette mort, elle lit le *Journal de Bolivie* à tout moment et caresse les caractères imprimés comme si elle caressait les cheveux poisseux de sang du Che, comme si elle affrontait la mort plongée dans les yeux mi-clos, brillants, du Guérillero Héroïque.

Mon père, quant à lui, travaillait comme une brute, il devint dirigeant syndical, secrétaire général du Parti, et de toutes choses humaines et divines. Il était à la tête des milices des troupes territoriales, du Comité de surveillance des CDR et futur candidat délégué du pouvoir populaire. Les choses se compliquèrent chez nous quand nous cessâmes de le voir à l'heure des repas. Nous devînmes les supporters béates de son image à la tribune des informations télévisées. Il avait chopé la maladie des discours. A l'époque de mes premières règles, j'en eus assez du traumatisme de l'absence paternelle, et pendant que maman retrouvait chaque soir les femmes de la Fédération pour échanger des commérages du quartier ou regarder le feuilleton, ce qui revient à la longue au même, je me glissais subrepticement dans la nuit, la rue, la luxure. Et c’est ainsi que très tôt, je fis la connaissance du Traître.

L’Evadée dut encaisser plusieurs coups mortels. Mon père fut l’un de ceux qui prophétisèrent en public que la récolte de canne à sucre n’atteindrait pas les dix millions de tonnes, et il fut sanctionné. Il sortit dans l’avenue et se mit à marcher et à marcher comme un dément. Sans même s’en rendre compte, il arriva aux grilles de Mazorra, l’asile d’aliénés, s’v agrippa et se mit à hurler :

Sortez-moi de là !

Tous, passants, visiteurs et malades, dans l’hôpital psychiatrique et dehors, comprirent au pied de la lettre ce qu’il avait voulu dire. Il confondait l’intérieur et l’extérieur de la clinique, pour lui les fous étaient les passants et dans son accès d’hystérie les rues étaient devenues des cachots. Il n’avait pas entièrement tort, mais il fut immédiatement interné. Au bout de six mois, il fut relâché. Les électrochocs l’avaient rendu gaga. Elle l’attendait, mais elle était déjà au seuil d’un autre monde. Elle n’avait pas supporté les souffrances de son mari, elle oubliait les dates et les noms, tout la faisait rire, et elle dormait, elle dormait interminablement. Les dix millions ne furent pas atteints et il reçut une décoration insignifiante.

Un autre coup fatal fut mon divorce d'avec le Traître et mon refus de revenir à la maison paternelle. Les mains jointes dans son giron, elle me suppliait, les parents sont toujours les parents, la famille ça compte, une femme divorcée est exposée aux médisances et aux avances malsaines, elle prendrait soin de moi comme d'un bébé. Mais je ne revins pas. Je souffrais de les voir vieillir.

Et j'emménageai chez une amie, la Vermine. Ce fut le troisième coup pour la psyché de l'Evadée. La Vermine en avait par-dessus la tête des micmacs politiques et, avant que la prostitution occasionnelle ne devienne monnaie courante, elle s'y adonna avec frénésie. Elle était viscéralement une pionnière. Un beau jour, elle fit les démarches nécessaires pour se marier avec un gros Espagnol plus âgé qu'elle, et elle partit en me confiant son appartement. Dès lors, mes géniteurs durent abandonner tout droit de regard sur ma vie intime. J'étais déjà une femme divorcée. Ils cessèrent d'être mes parents pour devenir mes enfants.

Lui, maintenant qu'il est à la retraite, passe son temps à tailler des figurines de bois, à sculpter des petits bonshommes presque toujours identiques, bien dressés sur leurs pattes, brandissant une machette dans la main droite. Et puis il les vend dans le parc qui est au coin des rues Línea et L. Elle, l'Evadée, me regarde d'un air inconsolable. Si je lui demande où en est le feuilleton brésilien, elle me répond :

— Tu te souviens des olives ?

— Maman, tu as regardé le film samedi dernier ?

— Tu te souviens du steak haché, du vrai, à la viande de bœuf ? Pas cette merde au soja, non, tu sais, la viande rouge qu'il fallait mâcher et remâcher…

— Maman, tu as des nouvelles de mon oncle ?

— Et le cidre à Noël, tu l'as connu ?

— Maman, pourquoi tu ne prends pas ton cachet ?

— Et les petits pâtés au maïs et au porc grillé ?

Elle ravale sa salive. Je tiens toujours le verre d'eau dans une main, et le méprobamate – échangé contre de la bénadriline à la voisine allergique – dans l'autre. L'Evadée a la mâchoire qui tremble, dans un murmure elle demande qu'on ferme les fenêtres. Elle meurt de froid, par trente-six degrés à l'ombre.

— Ma fille, tu crois qu'il va revenir nous reprendre la maison ?

— Qui ça, maman ?

Et je la soutiens pour la ramener jusqu'au lit, elle ne pèse rien, c'est un petit sac de plumes. Je la borde.

— Qui veux-tu que ce soit ? Le sculpteur ! Si le sculpteur revient de Miami, il nous fichera dehors et il nous brûlera, comme ton père l'a fait avec ses sculptures.

— Non, maman, le sculpteur ne fera pas ça… Il est peut-être mort…

— Mais non, mon poussin, penses-tu ! Il n'est pas mort…

— Comment peux-tu en être aussi sûre, ma petite maman ?

— Parce que je n'ai pas pu lui rendre le Lam, et quand on a possédé un tableau pareil, aussi joli, on ne peut pas mourir sans l'avoir revu.

Et elle s'assoupit, crispée, clignant des paupières vers Elegguá, envoûtée par le terrible enfant-dieu qui, du centre du tableau, illumine la chambre.

VI

LA VERMINE

Seul le verre se brise, les hommes meurent debout.

(Mot d'ordre)

La journée de travail est finie, ce n'est pas encore l'heure de partir, mais il y a eu une autre coupure de courant, et la photocopieuse, l'ordinateur ainsi que les machines à écrire sont électriques, la nouvelle qui travaille sur la banque de données a tout perdu une fois de plus parce qu'elle n'a pas eu le temps de sauvegarder les informations. Elle devra recommencer demain et peut-être la lumière s'éteindra-t-elle quand elle sera sur le point de terminer, elle devra de nouveau repartir à zéro. Et ainsi de suite, pour les siècles des siècles, amen.

Il a plu, le parking n'est pas couvert et ma bicyclette est trempée. La chaussée est boueuse et je rentrerai tout éclaboussée. Je vais devoir aller chercher de l'eau pour laver mes vêtements, pour me laver, pour faire la cuisine... Avec un peu de chance, le courant n'a peut-être pas été coupé à la maison – qui est dans un autre secteur du Vedado – et le moteur de mes réservoirs d'eau clandestins a pu se mettre en route… ce sont des ballons que j'ai dû installer un jour à l'aube, car on ne peut en avoir qu'un par logement, et j'en ai caché trois dans la conduite d'aération.

Dès que je pose le pied sur les pédales de mon vélo chinois, je pense à toi, ma chère petite Vermine. Je t'ai connue quand j'allais à l'Institut pédagogique, quand j'allais soudoyer le doyen. Toi tu étudiais la géographie, et nous sommes tout de suite devenues amies, malgré la méfiance du Traître, qui ne pouvait pas te blairer. Je m'échappais pour aller te chercher, toi, tu empruntais deux bicyclettes et nous pédalions jusqu'au mur du Malecón. Là nous parlions et nous nous moquions du monde entier. En ce temps-là, monter à vélo était réservé aux putes, aux marie-couche-toi-là, et les gens nous insultaient. On s'en fichait, on s'en tamponnait le coquillard et le reste, nos éclats de rire insolents avaient le don de hérisser même les rieurs et de faire dresser les cheveux sur la tête des flics. Le garde de ton Comité de défense de la révolution nous dénonça sous prétexte qu'au moins deux soirs par semaine nous allions, *à bicyclette* ! jusqu'à l'hôtel *Deauville* et nous restions assises des heures et des heures sur le mur de la jetée, face à la mer, à fumer des Popular filtre. Il nous soupçonnait de lancer des signaux lumineux à l'impérialisme yankee.

Côté vélo, nous étions aussi des pionnières.

Si tu revenais, tu ne comprendrais plus rien, La Havane est triste, délabrée, réduite à néant.

Regarde là-bas, à l'angle des rues G et 17, un type, environ la trentaine, fait les poubelles avec une cuiller. Il expurge soigneusement les sacs de plastique graisseux et dévore sans scrupule les restes pourris qu'il trouve. Je ne veux pas m'arrêter, je pédale plus fort, je prends des risques en traversant l'avenue, je ne veux pas être le témoin de cette vérité pour laquelle notre génération n'a pas été préparée. C'est vrai que dans tout le reste de l'Amérique latine les gens crèvent de faim, mais eux ils n'ont pas fait la révolution. Combien de fois nous a-t-on rebattu les oreilles : "Nous sommes en train de construire un monde meilleur" ? Où est-il passé ?

Tu te souviens des queues pour acheter des glaces italiennes, quand ce genre de sorbet, à son apparition dans l'île, a fait fureur ?

Tu te souviens des glaces servies sur du gâteau à l'angle de l'avenue du Prado et de la rue Neptuno ?

Tu te souviens du *Rialto*, ce cinéma d'art et d'essai ?

Tu te souviens des croquettes *Soyouz 15*, qui restaient collées au palais ? Tu te souviens de la cafétéria du centre commercial *La Manzana de Gómez* ?

Tu te souviens des spaghettis ?

Tu te souviens de ce jus de chaussettes, variante du Coca-Cola du blocus ?

Tu te souviens des beignets, des crottes de Nulle Part Ailleurs dégoulinantes de confiture de goyaves, dans la petite boutique de la rue Obispo ?

Tu te souviens du palais des Mouches, la pizzéria *Europa* ?

Tu te souviens des bazars où rôdaient les petits vieux ?

Maintenant, sur les trottoirs, des vendeurs ambulants autorisés vendent des imitations de chaises à bascule Art déco créole. Dernier refuge de notre identité !

Tu te souviens des gâteaux secs du bar *La Lluvia de oro* ?

Tu te souviens des haricots du *Castillo Farnés*, cette gargote ?

Tu te souviens de *La Bodeguita del medio* à l'époque où elle était encore bohème ?

Tu te souviens à la télé du Chevalier de Paris, de la Chinoise et de ses blagues, des discours incohérents de Charlie, de la Marquise et de ses cheveux crépus teints en violet ?

Tu te souviens des autobus supplémentaires pour aller aux plages de l'Est ?

Tu te souviens des plages, des bus, ça te dit quelque chose ?

Tu te souviens de ces fleurs appelées "océan pacifique" et des papillons du Vedado ?

Tu te souviens des arbres de l'avenue du Prado, près de la statue de Zenea ?

Tu te souviens des librairies ?

Tu te souviens de la circulation rue Neptuno ?

Tu te souviens du boulevard San Rafael, des parts triangulaires de pizza, des cinémas *Rex* et *Duplex*, fermés pour travaux ?

Tu te souviens des produits sur le marché libre : le lait à un peso le litre et le yogourt, tu te souviens du fromage blanc et du beurre ?

Tu te souviens du *Wakamba* et du *Karabali* ? Quand on y va, on a l'impression de débarquer sur Mars. Au lieu de cafétérias, on dirait des compagnies étrangères. Tout en dollars. L'argent cubain, tu peux te torcher avec.

Tu te souviens de la monnaie nationale ? Maintenant, c'est le peso convertible dont tout le monde se méfie.

Tu te souviens du jambon synthétique à six pesos ?

Tu te souviens des boîtes où on se faisait peloter, des maisons de rendez-vous ?

Tu te souviens de l'air conditionné, des ventilateurs ?

Tu te souviens de la lumière ?

Nous survivons, l'estomac bourbeux, ou fermé pour travaux. Rien n'existe. Seul le Parti est immortel.

J'ai coincé ma bicyclette au deuxième étage de l'étroit escalier de mon immeuble. Hernia, celle qui s'est fâchée avec la mer et avec bien d'autres choses, apparaît en brandissant une enveloppe par avion, d'un coup sec, elle dégage le vélo et m'aide à le poser un instant dans le couloir du troisième. De grosses gouttes de sueur me pendent aux narines.

— Tu as une lettre d'Espagne !

Avec un coup d'œil complice, elle repart comme elle est venue, vers sa grotte maritime.

Une lettre de Madrid, elle doit être de toi. Naturellement, elle est de toi. Ma chère Vermine, à force de penser à toi, tu es apparue, mon fidèle fantôme, mon âme sœur. J'attends de tes nouvelles avec un désir médiéval. Raconte-moi tout ce qui t'arrive, la moindre banalité, tu n'as pas idée des rêves incroyables que je vis à travers tes lettres : je me vois au musée du Prado, devant les Goya, les Greco, devant ce tableau fabuleux de Patenier, *Charon traversant le fleuve*, sombrant dans l'inquiétude à la vue du *Jardin des délices* de Bosch, ou scrutant le visage des *Ménines* de Vélasquez. Tu ne peux pas savoir comme je t'imagine en train de faire tes courses au *Corte Inglés*, d'aller au cinéma ou au théâtre sur la Gran Vía, de choisir des recueils de poèmes dans la librairie *Visor*. Quel est le goût du gaspacho ? Je l'ai vu préparer dans le film d'Almodóvar *Femmes au bord de la crise de nerfs*.

J'ouvre la serrure. Je fixe mes yeux impatients sur l'interrupteur, avec inquiétude : la grande surprise est imminente, il me suffit d'appuyer, ma joie dépend de ce simple geste. Mon bonheur est à la merci de la réponse positive d'un interrupteur. J'appuie. Lumière !

Je range la bicyclette près du canapé, les roues laissent des traces de boue par terre. Je vais à la salle de bains. Pour te lire, je dois d'abord faire ma toilette. Je me brosse les dents, je me lave la figure, je me rafraîchis la chatte. Je me coiffe, je passe des vêtements secs et amples. Je m'allonge sur le canapé et je déchire l'enveloppe par avion.

“Madrid, à l’aube.

Ma chère Yocandra,

J’ai reçu ta lettre mais je t’y retrouve à peine. Tu ne parles que de ton vélo chinois, de coupures de courant, de gorgées d’eau sucrée pour tromper la faim, d’un fabuleux Nihiliste, qui est, à vrai dire, la seule chose que je t’envie. Ta correspondance est digne du XIXe siècle, tu donnes dans le martyre. Car malgré ta pauvreté, tu ne cesses de me répéter de ne pas m’en faire, car tu n’as besoin de rien.

Comme je t’ai déjà dit, mon vieux machin obèse, gros, chauve, rougeaud et grognon – autant dire gros con –, même une Marie Madeleine en manque n’en voudrait pas pour tout l’or du monde. De plus, il n’est pas aussi plein aux as qu’il voulait le faire croire à La Havane. Là-bas, le premier qui t’invite à dîner dans un hôtel miteux peut passer pour un millionnaire. Bref, ma chérie, j’en ai plein le dos de ce gros lard puant, qui rote aussi fort qu’il peut sans se retenir, n’importe où, de préférence dans les lieux publics. Ah, s’il n’y avait pas eu le livret de rationnement que je ne supportais plus, les discours démagos, la présidente du CDR mouchardant son propre fils s’il ne prenait pas son tour de garde, les bonnes femmes de la Fédération cousant des poupées de chiffon, les pionniers (les pauvres chéris, si petits et déjà plongés dans cette médiocrité) récitant des poèmes triomphalistes… ! Ces enfants déguisés avec des bérets et des foulards, braillant dans les avenues : «Donne-moi un F !. . donne-moi un I !… donne-moi un D !» etc. Brrr ! rien que d’y penser je me remarierais illico, même avec le Bonhomme Michelin, pour peu qu'il me jure qu'il est du Burkina Faso. Et tu es bien placée pour savoir que jamais au grand jamais je n'ai pu blairer les gros.

Tu me diras : pourquoi je ne prends pas un amant ? Je te reconnais bien là, avec ta mentalité très XIXe siècle ! Ici, les amants coûtent un prix fou, dans le meilleur des cas, ça se passe à l'américaine, fifty-fifty. C'est vrai qu'il y a effectivement de beaux mecs, à la peau rose, avec des yeux limpides et noirs, des cheveux de jais, des lèvres rouge sang (on mange beaucoup de fruits par ici). De véritables Blanche-Neige prêtes à être empoisonnées par une pomme. Mais, ma chérie, qu'est-ce que tu crois, la plupart sont homos, ils ne veulent pas d'histoires avec une femme ! Si au moins ils étaient à voile et à vapeur, je n'ai rien contre, tu le sais, je n'ai pas de préjugés là-dessus. Mais non, eux ils sont allergiques aux chattes, aux cons, rien à faire, il n'y a que les pines qui les intéressent. Chose qui nous manque cruellement à toutes. Tu te rends compte, je me balade toujours avec un paquet de cinq capotes au fond de mon sac, mais elles vont finir par pourrir. Je les ai achetées dès que j'ai atterri à Barajas, à l'aéroport même. Autant te dire que j'ai fichu mon fric en l'air. Tu ne me croiras jamais, tu risques de t'évanouir, ma chérie, mais j'ai même envisagé de passer lesbienne. On voit ici tant de films qui étalent des seins énormes, pointant comme des flèches, des fesses dures, des femmes qui se tripotent, que tu finis par mouiller ton slip et mine de rien tu prends ton pied en regardant deux nanas se sucer les seins et le clitoris. Tu vois, ça c'est le genre de cassettes vidéo que loue ma Baleine. Mais le sexe entre femmes – d'après certaines revues – c'est plus dangereux à cause du sida, les mecs, tu leur enfiles un préservatif et terminé, mais on n'a pas encore inventé de masques anti-effluves – tu vois ce que je veux dire – pour la chatte, et quand la petite crème à l'eau se débine avec son air innocent, rien ne te dit qu'elle n'est pas bourrée de bactéries assassines, du genre film d'épouvante. *Vade retro !* Tu sais, je suis allée dans un sauna : ici, c'est moins pour perdre du poids que pour perdre la tête, on y va pour draguer. Mais tout ce que j'ai réussi à lever, c'était une vieille aux cheveux oxygénés, avec les racines bien noires, et une vingtaine de liftings entre la figure, les seins, les fesses, les hanches, et encore, je n'ai pas vu les doigts de pied. Un seul coup d'œil sur elle, c'est l'horreur ! Après un tel tableau, si Claudia Schiffer et Linda Evangelista réunies (ce sont les top models belles, riches et célèbres du moment) se foutent à poil devant moi, je leur vomis dessus.

Les musées ? Oui, j'y suis allée à plusieurs reprises. Le Prado est très mal éclairé, les tableaux, disposés n'importe comment ! Les cartes postales, les catalogues, tout se paie ! J'ai emporté un carnet, histoire de noter un par un les noms des tableaux et de leurs auteurs, avec leurs caractéristiques principales, pour ne pas les oublier et pour te les décrire après dans mes lettres. Mais tu sais comme je suis distraite, j'ai paumé mon carnet, je finirai bien par le retrouver. Si tu savais comme je l'ai regretté, parce que j'ai passé toute la journée dans ce foutu musée, jusqu'à ce que je me fasse virer par le gardien. Un jour, je suis allée au Musée militaire, dans le parc du Retiro, je suis montée jusqu'au dernier étage, comme tu me l'as demandé, j'ai cherché la selle d'Antonio Maceo. Je l'ai caressée de ta part. Mon ange, il n'y a que toi pour te laisser émouvoir par des conneries de ce genre. La selle est comme toutes les autres, si ça se trouve c'est même pas la sienne. Les Espagnols ont la grosse tête, toujours à péter plus haut que leur cul, ils sont capables de réinventer l'Egypte et de te prouver par A + B dans une encyclopédie, documents d'époque à l'appui, et avec la Vierge Marie pour témoin, que Nefertiti était de Madrid. Je sais, tu vas être déçue, mais il faut que je te le raconte, pour que tu ne te fasses pas d'illusions sur les Espagnols, ils ont mis sous la selle du Général une petite pancarte où on lit : «Selle ayant appartenu au général cubain Antonio Maceo. Trophée de guerre des Espagnols.» Cette expression, «trophée de guerre», m'a fait l'effet d'une douche froide.

Enfin, tu vois, je me suis tirée pour échapper aux politicailleries, et elles me poursuivent partout. Gros-Bide m'achète tous les journaux possibles et imaginables, pour que j'aie des sujets de conversation avec ses copains et leurs épouses. Toutes des vieilles cocues, qui reçoivent au moins trois fois par semaine des raclées de première classe, c'est pour ça qu'elles portent toujours des foulards et des lunettes de soleil. Elles ont fondé un club des Epouses comblées, tu vois ça d'ici, et la meilleure, c'est que pour les réunions, elles doivent raconter à leur mari qu'elles vont acheter du jambon pour le dîner au coin de la rue. Comme je ne suis pas idiote, j'ai réussi à me faire nommer trésorière, ce qui me permet de mettre un peu de fric de côté pour fonder un jour mon propre club indépendant. Celui-là je l'appellerai le Club des putes cubaines en exil. Je reçois discrètement les visites de petites métisses toutes jeunes, ou de Noires aux cheveux ras, abandonnées par le jules qui les a fait sortir de Cuba, à moins qu'elles l'aient plaqué. Beaucoup s'adonnent à la prostitution clandestine, vivent dans l'illégalité, pleurent de terreur, de faim et de froid. Faire le trottoir l'été est une chose, mais le faire en se caillant le cul sous la neige en est une autre.

Comme je te disais, je lis toute la presse, même *Le Monde diplomatique*, qui est très intello et assez ennuyeux, hélas c'est le seul journal qui parle bien de Cuba. Il faut que tu saches que cette île, même le bon Dieu s'en tamponne comme de l'an quarante. Personne ne s'y intéresse. Et Lui encore moins que tous les autres, si ce n'est pour regretter de l'avoir créée ! Ici les gens sont obsédés par le fric, les guerres, les émigrés des ex-pays de l'Est qui se sont faufilés partout et qui ont piqué le boulot de la moitié de l'humanité, parce qu'ils représentent une main-d'œuvre bon marché, tu peux dégotter un scientifique russe qui fait des expériences pour deux dollars, et qui bosse comme taxi le soir pour trois fois rien. Et même comme ça, ça ne les empêche pas de puer toujours autant, donc tu vois, ma petite, ce n'était pas le manque de déodorant, ça vient d'eux, ils sont aigres, par nature. Quand j'en rencontre un, je me barre en courant et j'ouvre le livre de Pouchkine que tu m'as offert, il n'y a que lui qui les réhabilite à mes yeux. Au fait, à propos de journaux et de littérature, si jamais un jour tu te décides à écrire un best-seller, dans *El País*, à la page de la rubrique nécrologique et de la météo, il y a des avis de concours intéressants, bien rémunérés, et les livres gagnants sont publiés. Si l'envie te prend d'écrire, n'hésite pas, je suis là.

Tu dois te demander comment je peux lire *Le Monde diplomatique* en français. C'est que j'ai suivi un cours d'été, parce que Moby Dick fait des économies pour m'emmener à Paris, tu me vois, moi, dans la Ville lumière ? Je t'enverrai des photos avec la tour Eiffel dans le fond.

Oui, bien sûr, j'achète tous les jours une montagne de trucs. Acheter est un vrai vice, et je suis vicieuse, j'ai ça dans le sang ! Quant à savoir si la télé corrompt, sur ce point, je donne raison aux radoteurs de là-bas, la publicité est vraiment une ennemie, mais surtout une ennemie du porte-monnaie. C'est incroyable comme elle finit par t'embobiner, elle te rend folle, aujourd'hui un shampoing, demain, l'après-shampoing, et après-demain la cire dépilatoire, et les glaces, les confiseries, le savon ceci, le savon cela, au lait de chèvre, à la glycérine, le parfum du matin, celui de l'après-midi et celui du soir, qui ferait bander comme un cerf même le vieux don Rafael del Junco, tu sais, dans *Le Droit de naître*, ce feuilleton que nous racontaient nos mères. Ici il est passé à la télé, à la radio et après je l'ai vu au cinéma : une belle merde ! Chaque jour, je vais au *Corty* (c'est le nouveau nom du *Corte Inglés*) et je dépense une fortune en épingles à cheveux, brosses à dents de différents modèles, petites robes en soldes, collants fin de série, parfums de deuxième classe, et bouffe, bouffe à gogo. Je raffole des chorizos et des tourons de Jijona.

Ici, il faut manger, et bien manger, parce que le froid s'accommode mal des régimes. J'ai grossi, maintenant je pèse cinquante-cinq kilos, j'en pesais quarante-cinq en arrivant. J'ai changé, je suis plus vieille et plus réaliste, le froid m'a fait passer l'asthme, mais pas mon grain de folie. Je suis toujours aussi dingue. Je n'ai pas de nostalgie, il n'y a que toi et la mer qui me manquent. En épousant le vieux j'ai perdu ma nationalité, pour moi, cela n'a signifié que des démarches bureaucratiques, pas de quoi se couper les veines. Au fond de moi, je suis plus cubaine que nos palmiers, personne ne peut me l'enlever, et pourtant je n'ai rien d'une chauviniste excitée. Je dis toujours que José Marti a passé la plus grande partie de sa vie à l'étranger, pourtant il est difficile de trouver plus cubain que lui.

De toute façon, je ne pouvais plus rester là-bas. Quand je me souviens de ce mot d'ordre qui incitait à mourir debout, j'en ai les pieds en compote ! Qui a bien pu pondre une connerie pareille ? Il paraît que seul le verre a le droit de se briser, «les hommes meurent debout». Moi je suis parfaitement intacte, plus que jamais, et j'aspire à mourir comme la majorité des êtres humains, en position horizontale. Une fois, quelqu'un a trouvé à redire en me déclarant que cette phrase était de Marti, même si c'est vrai, il a pu aussi avoir des phrases déplacées, après tout, nul n'est tenu d'être brillant et irréprochable vingt-quatre heures sur vingt-quatre.

Et ces espèces en voie d'extinction qui continuent de s'accrocher à leurs miettes d'impeccable, d'irrévocable, d'indispensable, d'inévitable... Elles ne sont pas foutues de voir à quel point elles sont insupportables, et à quel point cette réalité imposée est invivable. Merde, à la fin, la vie n'est pas une caserne !

Yoqui, que te raconter de plus ? Madrid est une ville plutôt crado et bourrée de touristes. Les Madrilènes meurent d'envie de ressembler aux Américains. Il existe une vie nocturne excitante, mais je n'y participe pas, d'abord parce que je ne dois pas trop abandonner ma grosse Baleine, mais aussi parce que je n'ose pas sortir seule le soir, le crépuscule est hors de prix ici, et de plus ça ne me dit rien de traîner ma solitude sur des trottoirs qui ne m'appartiendront jamais vraiment. Pendant des jours entiers, j'échange seulement quelques monosyllabes avec la Marmotte. Il cherche toujours à me faire tourner en bourrique, à me rendre les choses de plus en plus dures, c'est sa façon de se venger des haut-le-cœur que je ne peux dissimuler quand il se fout à poil devant moi. Est-ce que ça va durer jusqu'à ma mort ? J'espère que non, peut-être qu'un jour je pourrai le tuer ou acheter ma liberté. Encore qu'ici le divorce soit un vrai sac de nœuds, tu peux pas t'imaginer. J'ai l'intention de gagner du fric et de me tirer, mais je ne sais pas encore comment. Tu saisis ? On se croirait dans un film d'Hollywood.

Pour terminer, je vais aborder la grande question, je l'avais mise de côté pour qu'on y réfléchisse ensemble, sérieusement. Tu dois sûrement savoir que le Lynx s'est enfui de Cuba sur un radeau de fortune, il y a tout juste un mois, il a fait naufrage, ses compagnons ont disparu dans l'Océan. Il est le seul survivant. Il a été retrouvé par un bateau américain, les restes du radeau flottaient à la dérive, son corps épuisé était resté accroché par hasard à un morceau d'épave, solidement attaché par un cordage. Bref, il s'en est tiré et il a bien récupéré, d'après ce qu'il m'a dit. Il m'a téléphoné, tu parles d'une surprise ! Mais en même temps, j'ai dû lui faire la morale, quelle folie, mon Dieu, il aurait pu mourir comme les autres. Il m'a paru déboussolé, incroyablement triste (lui qui était toujours si optimiste). Mais je l'ai trouvé aussi plein d'énergie, avec la force, la vigueur de ceux qui ont été effleurés par les lèvres de la mort, par sa morsure fatale.

Prions pour lui. Et toi, attends de mes nouvelles. Si j'arrive à convaincre mon Ours polaire, je te téléphone. Tu comprends, si je ne t'appelle pas plus souvent, c'est parce que ça coûte les yeux de la tête. Un vrai coup de poing au chéquier.

Un bisou métallique à ton vélo, j'espère que tu as de la lumière, et que tu garderas le Nihiliste longtemps. N'essaie pas de me le présenter, je te le piquerais. Quand tu regarderas la mer, prie Yemayá pour le Lynx et pour moi. Ne nous oublie pas.

Un baiser sans fin pour toi.

Ta Vermine."

Bien que j'aie déjà pleuré comme une bête, au point d'avoir asséché mes glandes lacrymales, ta lettre m'a arraché un sanglot de la poitrine. La boucle est bouclée. On nous a condamnés à vivre éparpillés de par le monde, sans cesse exposés au danger, à la douleur suraiguë dans le précipice insondable des consciences, au reniement de soi, de nos rêves. Je me souviens soudain de ton amour pour le Lynx, un type qui te rendait dingue. Tu l'avais vraiment dans la peau, il te mettait en transe, c'était l'amour de ta vie. Mais entre un avenir incertain, flanquée d'une ribambelle d'enfants d'un microbrigadiste – bien obligé, car il est licencié en histoire de l'art, mais il a dû devenir maçon, car il n'avait pas de logement et dormait sur un matelas pneumatique sous les escaliers, et toi tu n'avais pas l'intention de lui offrir un refuge, même si c'était l'homme de ta vie, parce que tu ne voulais pas entretenir des crétins qui n'ont que l'Egypte et la Grèce à la bouche –, entre devenir la petite épouse du Lynx et vivre une éternité dans un *Ça m'suffit* du collectivisme à Alamar, entre ça et le Dinosaure espagnol qui t'invitait dans les piscines des hôtels, t'offrait des robes de marque, et t'entretenait à coups de bouffes payables en dollars, tu as choisi la dernière solution. Et ta vie, ma petite Vermine chérie, ressemble à un cabaret sans rumba. Un calvaire. Quant au Lynx, quelques mois après ton départ, il a eu son appartement et, deux semaines après, il l'avait échangé contre une résidence superbe à Miramar, mais où il n'avait pas souvent de courant, le gaz en bouteilles n'était jamais livré et l'eau était bannie du secteur. Mais tu sais qu'il est né sous une bonne étoile, il a une veine impossible : il retrouve sa passion, la peinture, il envoie un tableau à un concours au Japon et il gagne je ne sais combien de milliers de dollars (maintenant on n'envoie plus personne en prison pour possession de devises). Alors il s'équipa. Il installa un groupe électrogène qui lui permit de résoudre le problème de l'électricité, il acheta du gaz à une entreprise officielle qui vend en dollars du gaz liquide aux particuliers, il fabriqua une citerne, répara le moteur, posa des réservoirs en Fibrociment pour maîtriser l'approvisionnement en H_2O. Il peignit la maison, accrocha ses tableaux, acheta et vernit des meubles de style, une salle à manger anglaise, un salon Louis XV, une chambre Art déco, une merveille… Tu sais que les petites vieilles du Vedado vendent tout ça pour trois fois rien.

Flash-back : avis pour le chapitre suivant.

Ils attendirent qu'il soit bien installé. Quand il s'assit dans le fauteuil de style français, on sonna à la porte. Le Lynx en personne vint ouvrir.

— *Nous faisons partie de la commission du* CDR, *nous avons l'autorisation du délégué. Vous êtes accusé d'être un profiteur, un nabab, un nouveau riche... Nous venons confisquer vos "propriétés", entre guillemets... Vous devez suivre le lieutenant.*

Le Lynx eut un sourire incrédule. Il alla patiemment chercher le diplôme établissant qu'il était bien le vainqueur d'un prix, et le reçu du chèque encaissé dans une banque... Mais qui, dans ce foutu pays, peut bien comprendre le japonais ? On chargea tout dans un camion, même ses propres tableaux, on posa des scellés sur la résidence. Le Lynx eut un procès et fut déclaré coupable. Il était à deux doigts d'échouer à la prison de Combinado del Este lorsque – il est vraiment toujours protégé par la chance et par Notre-Dame de Grâce, Obbatalá adorée ! – un important ministre japonais fit son apparition, il avait acheté à Tokyo le tableau primé et il commença par demander des nouvelles de l'artiste. Et les flics de courir en tous sens, toute la Sécurité du pays en alerte pour retrouver le peintre : où ce génie, cet imbécile, a-t-il bien pu se fourrer ? Au même instant, il pose le pied droit sur le sol de sa cellule. Sortez-le ! Libérez-le ! Immediately ! Le Lynx ne comprend pas pourquoi on lui fait rebrousser chemin à toute allure en le traînant à travers les couloirs de la prison. On le lave, on l'habille et on le loge dans une suite de l'hôtel Nacional.

Il eut un entretien de trois minutes avec le ministre japonais. Le Nippon parlait et parlait, souriant et révérencieux à plein temps. Le Lynx ne put que prononcer bonjour quand il arriva et au revoir quand il partit. Le ministre japonais lui fit présent d'un bonsaï semé spécialement pour lui, son peintre favori, avant d'être tiré par la manche et conduit à une réunion d'affaires.

Quand le Lynx revint dans la suite, la femme de chambre était en train de faire le ménage et de changer les draps. On l'avait informée que la réservation de ce monsieur avait pris fin.

Le Lynx se retrouva au milieu de l'avenue de la Rampa, cette fabuleuse cuvette d'asphalte qui donne de loin l'impression que la mer est suspendue dans les airs, avec un bonsaï de collection dans la main droite, mais cette fois il n'avait même plus de matelas gonflable – il allait en retrouver un – ni d'escalier pour passer la nuit.

Fin du flash-back.

Nous sommes coupables de naissance, chacune de nos actions relâche la corde qui laissera tomber la guillotine, et fera rouler nos têtes sur la paille de l'histoire.

J'ai bon espoir de vous revoir, chrysalides bien-aimées, vous apparaîtrez, resplendissantes, virevoltant, devenues papillons. Et peut-être des pétales renaîtront-ils alors de moi, comme d'une rose qui n'a pas été arrachée.

VII

LE LYNX

Pourtant ces choses sont à ce point présentes que, si je ne puis matériellement les toucher, mon imagination me les fait voir toutes. Devant mes yeux passent ma maison, Rome, et la forme des lieux, et à chaque lieu s'associent les scènes dont ils furent le théâtre.

OVIDE, *Les Tristes.*

Je suis restée là, emmurée dans mes pensées, avec ce sentiment d'étrangeté que donne la solitude. Pas seulement la mienne. Je sais comme il doit se sentir seul. Sait-il, lui, comme je dois me sentir seule ? Même avec de la compagnie. Voici ce qui nous a unis et a rendu notre amitié indestructible : la douleur quotidienne, la terreur de nous savoir soudain inutiles, la rancœur contre le néant. Nous voulions travailler, donner le meilleur de nous-mêmes – nous étions jeunes – dans cette vie, la seule que nous avons. Et nous en étions réduits à haïr cette pause extrême qu'est l'existence, cette angoisse paralysante qui nous submergeait. A vivre bannis de nous-mêmes, nos âmes en exil, le corps répondant docilement à l'interrogatoire des circonstances. Car pour chaque personne et pour chaque chose, nous devions présenter un visage, une réponse. Une viande précuite. Il n'était pas permis de poser des questions. Ce n'était pas militant. Il en a eu assez d'être l'obéissant. (Nous sommes les moines d'une obéissance aveugle. Et comme sous l'Inquisition, nous croulons sous les cadavres calcinés. Un fardeau implacable et sanglant nous fait courber l'échine. La génération des heureux porte sur son dos le poids douloureux de trop de gloire. Jamais nous ne pourrons nous redresser complètement, à cause des exécutions. Même si notre mâchoire a tremblé, nous avons cru à nouveau aux éditoriaux de *Granma*. Et les motivations, dans certains cas, étaient obscures.)

Quand on me le présenta, je pensai : "Il pourrait jouer Marcel Proust dans n'importe quel film français." Il lui ressemble tant : le même nez, avec une arête gracieuse au milieu, un air arabe, qu'il doit à ses gènes, des yeux profonds, rêveurs, brun foncé, les cils frisés, les sourcils drus, des cernes romantiques, les cheveux doux mais rebelles, très noirs, frisés à hauteur du cou mais raides à la racine, si bien que, quoi qu'il fasse, ils retombent toujours sur le front, de part et d'autre d'une raie naturelle, une bouche prompte à la réplique, des dents régulières, un menton vaniteux, des oreilles un peu collées. Il était fier de sa moustache, mais je parvins à le convaincre de la raser. S'il perdit alors une touche de son mystère proustien, il acquit en revanche une ressemblance énigmatique avec Al Pacino.

Nous sommes devenus amis bien plus tard. Mais j'ai tout de suite su en le connaissant qu'il était différent, bizarre, il attirait l'attention. C'est le soir où on a vu chez des copains *Taxi Driver* en vidéo que l'on a vraiment sympathisé. La vidéo était une invention assez connue de par le monde, mais elle venait tout juste d'arriver à La Havane, Ville laboratoire. Comme toujours, nous étions les derniers de la planète à être mis au courant et, une fois de plus, nous accusions le blocus. Il était le seul à savoir appuyer sur les boutons de cet engin ultramoderne. Si un invité avait envie d'aller aux toilettes, il arrêtait l'image et on ne perdait absolument aucune séquence du film. Nous étions subjugués. Il faisait avancer la bande, il la rembobinait, à l'aide d'un petit appareil qu'il appelait le plus naturellement du monde "télécommande", pour que les autres se familiarisent avec son maniement, ou pour qu'ils se sentent des ânes bâtés ignorant les dernières innovations technologiques. Le film était en version originale et il nous faisait la traduction, car il parlait – il parle toujours – plusieurs langues à la perfection. A la fin du film, nous bûmes quelques verres avant de nous séparer. Je le vis prendre discrètement son matelas pneumatique dégonflé, plié sous le coussin de son siège. Moi, il me serra juste la main. En revanche, il raccompagna la Vermine chez elle. Il la laissa devant sa porte, en parfait gentleman. Il fit le tour du pâté de maisons pour lui laisser le temps de se coucher. Quand les lumières des fenêtres furent éteintes, il revint. Avant d'entrer, il aspira autant d'air nocturne qu'il le pouvait, et le garda jalousement dans ses poumons. Une fois à l'intérieur, il gonfla le matelas. Au lever du jour, quand la Vermine descendit les marches d'escalier, elle ne se douta pas qu'elle marchait au-dessus du corps assoupi de son bien-aimé.

Il avait connu quelques ennuis à l'université. Il avait décidé de porter un béret et des pantalons cigarette comme ceux des Beatles. Il ne se méfiait pas car en histoire de l'art, il y a toujours eu plus de tolérance. Mais un jour la Virago réaliste-socialiste, professeur d'esthétique, entra en classe, fonça comme une hyène sur lui et arracha son béret.

— Ah, voilà ce que cache cet élève sous son béret : des cheveux longs !

Les cheveux longs étaient son obsession, son idée fixe, elle ne les trouvait beaux que sur des têtes féminines, elle sortit une paire de ciseaux et lui tondit la boule à zéro.

Il eut le malheur de répliquer que le Che avait des cheveux longs et un béret. Ce fut pire encore. Elle l'injuria : s'il avait quelque chose en commun avec le Che, c'était son asthme. Le Lynx revint à la charge :

— Depuis que j'ai l'usage de la raison, on m'a appris un slogan : "Nous serons comme le Che", et je l'applique au pied de la lettre.

La Virago réaliste-socialiste en fureur tira un poignard de la poche de sa jupe grise. Elle poussa la pointe brillante contre la trachée du Lynx :

— Pour être comme le Che, il faut avoir des couilles que toi, résidu de pédé, tu n'auras jamais dans ta putain d'existence de merde…

Le Lynx eut les larmes aux yeux, il ne s'était jamais senti aussi humilié, aussi impuissant. Dur à supporter que ce soit une femme, âgée en plus, qui lui balance ce genre d'insultes ! Il ravala sa salive et la dague transperça la peau. Des gouttes rouges tachèrent sa blanche chemise de nylon. Elle se mit à genoux. Il crut un instant qu'elle allait lui demander pardon, c'était juste pour rire, elle allait peut-être même lui tailler une pipe, qui sait. Il ébaucha un petit sourire. Ses lèvres dessinèrent une moue d'extase imbécile, mais une déchirure et une secousse dans les jambes douchèrent son enthousiasme. La Virago avait tailladé ses pantalons cigarette. Ses seuls jeans, bien moulants, qu'il avait négociés contre cinq mois de ration de riz. La Virago, toujours accroupie, le regardait, une chandelle de morve grise suspendue à ses naseaux furieux. Il ne fut pas renvoyé, c'eût été absurde parce qu'il venait de soutenir brillamment sa thèse et qu'il ne lui restait plus qu'à recevoir son diplôme. Il l'avait échappé belle. Dès lors, il soupçonna qu'il était prédestiné à la fugue.

Comme par hasard, il fut envoyé à Moa pour y accomplir son service social en tant qu'animateur de la maison de la culture, qu'il devait construire de toutes pièces. Sur place, il n'y avait jamais rien eu d'approchant auparavant, même pas – c'est un exemple – un cercle qui s'intéresse à la poésie ou aux arts plastiques. Absolument rien. On lui donna seulement le terrain le plus désolé de la planète, une pelle, une pioche, un marteau, et tous les accessoires et matériaux indispensables à la construction d'une modeste baraque en ciment. Mais le Lynx portait bien son nom. Il est l'astuce personnifiée. Et que fit-il ? A peine fut-il arrivé que, sans même se débarrasser de la poussière du chemin, pareil à Martí courant voir la statue de Bolívar, il s'enfonça jusqu'au cœur de Moa et tira tout le monde du lit en récitant un poème de Cavafy dans un haut-parleur. Les habitants ouvrirent leur porte, bouche bée et somnolents, ils bâillaient bruyamment, toussaient, s'éclaircissaient la gorge, les femmes frottaient leurs yeux chassieux sans la moindre coquetterie. Ils s'approchaient tandis que le poème prenait de la force. Ils encerclèrent le Lynx, le regardant avec moins d'étonnement, avec un sourire timide. On voyait qu'ils commençaient à comprendre le texte, ou à l'interpréter, réaction beaucoup plus subtile en l'occurrence, en particulier dans le dénouement :

— *Et pourquoi, subitement, cette inquiétude et ce trouble ? Comme les visages sont devenus graves ! Pourquoi les rues et les places se désemplissent-elles si vite, et pourquoi rentrent-ils tous chez eux d'un air sombre ?*

— C'est que la nuit est tombée, et que les Barbares n'arrivent pas. Et des gens sont venus des frontières, et ils disent qu'il n'y a point de Barbares...

*Et maintenant, que deviendrons-nous sans Barbares ? Ces gens-là, c'était quand même une solution**.

Un délire d'applaudissements et de vivats éclata. Le lendemain, les habitants de Moa commençaient à bâtir leur maison de la culture. Le Lynx posa la première pierre. Et quand elle fut achevée, en un temps record, il réussit à inviter des poètes connus, des peintres célèbres, des groupes à la mode, des auteurs-compositeurs, des musiciens classiques, à donner des pièces de théâtre, à projeter des films censurés pour des raisons dont nul ne gardait le souvenir. La nouvelle du miracle culturel accompli par cet animateur frénétique commença à se répandre dans tout le pays. Il vivait dans une transe totale d'identité artistique et politique. Le sentiment érotique de l'immortalité du héros se manifestait en lui dans toute sa splendeur. Alors on le fit appeler à La Havane, Ville expérimentale, afin qu'il reproduise la même prouesse. Et Moa perdit tout appui, tomba en disgrâce, s'éteignit.

Dans la banlieue de La Havane, les choses furent différentes. On lui donna une masure branlante,

* Traduction de Marguerite Yourcenar et Constantin Dimaras, in *Constantin Cavafy, Poèmes*, Poésie / Gallimard, 1978, p. 84-85. *(N.d.T.)*

dans le coin le plus écarté du village de Mamoncillo, à trois kilomètres de l'habitation la plus proche. Quand il se renseigna pour le ciment, le sable, le carrelage, les parpaings et les outils, pour refaire cette bicoque, personne ne sut lui répondre, on le trimballa un mois durant du bureau des permis de construire aux entrepôts de matériaux. Il se débrouilla envers et contre tout pour construire lui-même un local de bal pour les paysans et il put même filmer une émission de la série *Palmiers et canne à sucre* à proximité. Jusqu'au jour où il s'avoua vaincu. (S'avouer vaincu est notre plus grande faiblesse.) Et Le Lynx demanda son transfert comme dessinateur dans une revue littéraire. Celle-là même dans laquelle je travaille aujourd'hui. Grâce à lui. Car avant j'étais simplement documentaliste culturelle, un titre ronflant pour une belle merde, il s'agissait en fait de découper bêtement des journaux, d'en extraire les articles qui traitaient de "notre" pays dans la presse internationale, ou d'envoyer des lettres stupides ou des accusés de réception aux amis de "notre" pays, qui étaient très souvent les plus médiocres de toutes les gauches du monde, ceux que personne n'écoutait dans leur propre pays et qui venaient ici dans des hôtels cinq étoiles, manger et boire à l'œil, et promettre des aides qui en fin de compte n'arrivaient jamais.

A cette époque-là, le rédacteur en chef de la revue littéraire profita d'un voyage pour s'exiler. Il fallait boucler en vitesse un numéro, mais on ne trouvait pas de gens "capables" (des militants), ils étaient tous aux champs, en train d'accomplir des travaux agricoles, autrement dit de dévaster l'agriculture, car la terre, il faut l'aimer et savoir la travailler. Le Lynx leva carrément la main, parce que c'est le genre de choses qu'il faut faire comme ça, d'un coup. Il demanda la parole et, très sûr de lui, proposa mon nom qui, parce qu'on lui faisait encore confiance, fut accepté sans hésitation. La proposition du Lynx ne fut même pas soumise aux instances supérieures. Nous devînmes supercopains, potes, frère et sœur. Parce qu'à l'époque de la projection de *Taxi Driver*, il travaillait encore à Mamoncillo et nous nous voyions moins souvent. Pour des raisons mystérieuses – ou pour partager notre rébellion rentrée –, nous sympathisâmes très vite. Il faut dire que je suis le genre de femme à bien m'entendre avec les hommes. En général, les femmes voient en moi une ennemie.

Nous fabriquâmes ensemble quatre numéros de la revue. Quand la possibilité se présenta de travailler dans les microbrigades de la construction, il fut le premier, mais non le seul, à franchir le pas. Comment faire autrement ? Notre amitié se resserra et deux ans plus tard, je l'aidai à meubler modestement le nouvel appartement obtenu grâce à son travail. A l'époque, la Vermine était déjà partie. Peu après, je l'aidai à déménager à Miramar. Et nous nous amusions comme des fous à arranger des petites décorations, à décaper des cadres rouillés, à vernir les meubles, à semer de grandes fougères et des orchidées sur la terrasse. J'étais avec lui la veille de son arrestation. Je ne l'ai plus revu ensuite. Jusqu'à ce qu'aujourd'hui – je venais de lire la lettre de la Vermine, tout est coïncidences – il dépense une somme folle pour me téléphoner de Miami. Et moi qui le croyais en tôle ! Il me raconta ses tribulations avec le ministre nippon, et le bonsaï, et ses nuits solitaires de réflexion au bord de la mer, sans vouloir faire appel à personne, planqué. Et ces types mystérieux qui firent leur apparition en traînant un radeau construit avec de mauvais bouts de bois, des pneus de camion, des rames précaires assemblées à l'aide de clous rouillés, un drap troué en guise de voile. Ils vociféraient nerveusement qu'ils partaient pêcher pour profiter de la pleine lune. En le voyant, ils prirent encore plus peur et ils lui demandèrent s'il partait ou s'il restait, ils l'assurèrent que c'était sans doute la chance de sa vie. Il haussa les épaules et, prenant appui sur les rochers, il se leva et monta avec eux sur le radeau.

Voir flash-back du chapitre précédent.

Oui, cela je m'en souviens très bien, moi, qui en suis venue maintenant à oublier instantanément tout ce qui est inutile : le téléphone n'arrêtait pas de sonner, et moi j'étais dans la salle de bains, absorbée par la préparation d'un shampoing à l'aloès. L'aloès a vraiment toutes les vertus, il est aussi bon pour soigner les hémorroïdes que pour éliminer les pellicules. Si on appelait avec tant d'insistance, c'est que l'on voulait me dire quelque chose d'important.

Une sonnerie très bizarre, puis un autre bruit ressemblant à une fausse tonalité – et toc, on est sur écoute –, c'était un appel international... – Ma petite Vermine ? Tu vas bien ? Je viens de recevoir ta lettre...

— Non, Yocandra, c'est le Lynx... (Je ne contrôle plus mes nerfs, le flacon m'échappe des mains et la mixture se renverse.) Je suis... (Je l'entendais rire à l'autre bout du fil et je suppose qu'il se retenait de pleurer.) ... ici... (Il prononça cet "ici" comme s'il était vraiment ici et non là-bas.) ... à Miami... (Je fais pipi dans ma culotte.)

— Ecoute, mon Lynx, mon cher Titan, j'ai l'univers entier à te raconter, mais je ne peux pas. Ma gorge se serra. Je me sens merdique parce que c'est la première fois que l'un de mes anges part vers le Nord, au sens rilkien où "tout ange est un démon". Et je ne sais pas quoi fiche, quoi te donner, quelques gouttes de mon cœur. Comme il a palpité ces jours-ci, c'était le pressentiment, et moi qui ne savais rien ! Une agonie terrible guette La Havane, Ville linceul parce qu'elle a perdu un Havanais illustre de plus. Soudain, j'ai la fièvre, une maladie s'empare de moi avec une violence indicible, mais logique. Je me sens seule dans un pays. Reviendras-tu un jour, radieux et sans rancœur, comme reviennent les anges ? Ma voix déraille, je balbutie, mes cordes vocales rendent un son lyrique et aviné. Patience, n'essaie pas d'être quelqu'un dès ton arrivée. J'offrirai des petits gâteaux à Elegguá pour qu'il te protège et t'ouvre la route. Ne succombe pas au syndrome du Cubain, cette foutue nostalgie. Ne la nie pas, non plus, sache la doser, la vivre mais sans en faire une obsession, qu'elle soit ta nourriture spirituelle et non ton poison. Ne te consume pas à écouter des disques, à les rayer, les disques sont une farce du souvenir. Nous sommes proches, tout proches, Lynx. Tu es aussi là, au bout de mes doigts, tu sors par mes ongles, tu entres en moi par chaque infime portion de ma peau. Quel ennemi, bordel, à l'intérieur ou à l'extérieur de cette putain d'île, pourra jamais t'arracher à moi, mon ami, mon frère, mon amant, mon enfant, *mon semblable**, comme dans le poème de Jaime Gil de Biedma ? N'oublie pas l'essentiel, ne cède pas à la passion cubaine pour les commérages, qui sont partout les mêmes, où qu'on aille. Ne te noie pas dans cette mer séparatrice que tu as traversée toi-même et où tu as vu mourir d'autres hommes, pareils à toi, épouvantés, terrorisés. Tu sais bien que cette mer nous unit. Il ne faut pas la défier, il faut être expert, extrêmement vigilant face aux pièges mortels de l'Océan. Je sais que le traverser à l'aveuglette et parvenir de l'autre côté est parfois pire que la mort. Porteurs, à l'origine, d'un si haut sentiment patriotique, nous voilà en pleine décadence, jouant avec la vie, comme à colin-maillard. Je ne suis pas injuste, je comprends le désespoir, moi-même je suis désespérée, mais je ne peux approuver les batailles perdues d'avance. Ton histoire tient du miracle, je te le répète une fois

* En français dans le texte. *(N.d.T.)*

de plus, mais les blessures psychologiques ? Cette mer qui nous appartient à tous mérite-t-elle que nous continuions à la teindre de sang ? Une voie va-t-elle s'ouvrir pour l'espérance ? Je devine que tu seras une pierre magnifique pour ce pont d'asphalte humain. Comme cette image est laide, mais c'est ainsi que je le ressens ! Ce sera dur, mais tu y arriveras. L'authenticité, c'est de ne pas larguer son âme pour que dalle. Je sais qu'un exilé n'a même pas droit à une tombe. Quelle terre recouvrira son cadavre ? Mais sa terre est là où il est. Sa terre, c'est lui avec sa vérité. Tu vaincras, malgré tes stigmates de Cubain. Que ne donnerais-je pour changer les circonstances ! L'idéal serait un pays idéal, mais nous ne l'avons pas. Nous possédons un pays à la fois pauvre et grand, qui nous épuise et nous plaît, qui nous aime et nous hait. Un pays obsédé par l'idée de tirer la richesse de sa misère. Nous avons toute la complexité de l'être humain, et nous ne l'admettons pas, et celle de l'être cubain, que nous fuyons. Une question me vient : où peuvent se trouver ces sonnets que je t'ai dédiés ? Je parle comme une folle. Ne te laisse briser par personne. Pense à moi, mais si penser à moi te rend vulnérable, alors oublie-moi, je comprendrai. Je te verrai en ce lieu imaginaire, dansant une valse ou une rumba, suant ou grelottant, pleurant ou fredonnant, courageux ou craintif. Agile, toujours agile… en ce lieu imaginaire qui nous appartient tant, même quand il nous échappe, en ce lieu qui nous fait si mal et qui est : la vie.

— Yocandra, tu as raison. Même si personnellement j'étais devenu intouchable pour les raisons imprévisibles que tu connais – je n'avais plus de domicile depuis mon séjour en prison et j'avais réussi malgré cela à dégotter une carte de rationnement – j'en avais assez des titres dans les journaux, qui effaçaient chaque matin mon regard dans le miroir de poche que m'avait offert la Vermine. Sur cette minuscule surface réfléchissante, j'ai lu :

> *Distribution d'aliments :*
> *La distribution de vivres correspondant au mois en cours commencera le 28 (à la fin du mois), dans les unités du commerce de détail. Pour le mois prochain, la livraison d'un demi-savon* per capita *est programmée. Pour le quota fixe de grains, 20 onces de haricots rouges seront distribuées* per capita. *La présence de trois livres de sucre* per capita *est garantie dans les centres de distribution, l'apport complémentaire pour la ration de 6 livres sera assuré prochainement.*
>
> *Pour le mois en cours, la demi-livre d'huile est distribuée dans les secteurs de Centro Habana et Cerro, après l'avoir été dans ceux de Playa, La Lisa, Marianao, 10 de Octubre, Habana Vieja. Elle se poursuivra par San Miguel, Guanabacoa, Regla et elle doit prendre fin dans toute la province avant l'épuisement des stocks.*

Le programme de fourniture des produits de boucherie sera le suivant :

A raison de trois quarts de livre per capita *:*

— Hachis texturisé : secteur de Boyeros, ration du mois en cours.

— Masse mixte viande/soja : Arroyo, Marianao et Plaza. En attente : Playa.

— Fricandel : Guanabacoa à terminer.

La répartition de deux livres additionnelles de haricots doit être effectuée dans toute la province.

J'ai failli me couper les veines avec le peigne, faute de lame de rasoir. Si je fumais, je fumais du tabac additionnel. Vivre de manière additionnelle a-t-il un sens ? Quand je parlais à un ami, tout à coup, en l'écoutant, je revoyais mentalement l'horaire des coupures de courant publié chaque jour et qui ne correspond jamais à la vérité. Mon cerveau s'asséchait peu à peu, et je ne te raconte pas ce que j'ai subi en prison, et qui d'ailleurs au niveau psychologique était assez proche de ce que je vivais à l'extérieur. Cette nuit-là, au bord de la mer, je n'avais même pas songé à la seconde qui suivrait, je n'avais pas la moindre idée de ce qui pouvait se passer dans l'immédiat. Subitement, les faux pêcheurs me placent entre deux eaux, il me faut choisir (l'importance de ce verbe, choisir, ne m'avait jamais effleuré) : je pars ou je reste ? Et je suis parti sans l'avoir décidé, juste parce que je n'avais rien d'autre à faire. A je ne sais combien de milles des côtes cubaines, une vingtaine peut-être, nous avons vu des débris de radeaux, et le petit corps d'un enfant mutilé, des bouts de bras, l'un deux portait même un bracelet-montre. On s'est retrouvés escortés par trois énormes requins, attirés par l'odeur du sang. L'un de nous, le plus vieux, nous demanda à voix basse de rester calmes, il ne fallait pas devenir fou. Cela n'empêcha pas un autre type de prendre une rame pour frapper le squale le plus proche. Je me suis jeté sur lui et je l'ai ceinturé, non sans mal. La mer s'est creusée, le vent nous poussait, la proue n'arrivait plus à fendre les vagues de deux mètres de haut, la fureur de la houle nous couchait sur le côté et détruisait l'embarcation. Je ne peux pas te décrire avec exactitude le moment où mes compagnons de voyage ont physiquement disparu. Le langage, les mots sont comme une amnésie chaotique, je me sens comme muet. J'ai encore mal aux muscles – j'aurai mal pour toujours – tant j'ai fait d'efforts pour retenir leurs corps. Je ne peux le raconter qu'en suivant l'inertie qui a continué de palpiter dans ma mémoire. Je ne vois pas ce qu'il y a de si miraculeux, comme tu dis, à ce que je sois resté accroché à la vie, à ce que j'aie été retrouvé et sauvé. Aujourd'hui, je me promène dans les rues de South West au coucher du soleil et je dois me pincer : suis-je un rêve ? Suis-je vivant ? Je voudrais oublier, cruellement oublier, mais en même temps, une énergie venue des profondeurs exacerbe mes sens. Je repasse méticuleusement en mémoire les événements et je ne trouve pas d'explication possible. Comment atteint-on une telle impudeur avec la mort ? Nous étions six, et tous, sauf deux, avaient entre vingt et trente ans. Leurs visages, que je n'ai connus que quelques heures, me poursuivront jusqu'à la fin de mes jours. Comme la mort nous enchaîne aisément pour l'éternité à d'autres êtres ! Il y en a qui disent que les gens se jettent à l'eau en raison de problèmes économiques mineurs, pour des jeans, pour des chewing-gums. Mais celui qui dit ça ne connaît pas Cuba, il ne sait rien de la faim et de la terreur, celui qui dit ça, il ne connaît que les hôtels de luxe et les résidences diplomatiques. Je souffre à chaque minute de ne pouvoir raconter mon expérience, mais je crois que je m'y ferai, tu sais. Je ne tremble déjà plus. Mais je pleure. Il y a tant de place pour loger la mélancolie. Je suivrai, néanmoins, tes conseils. J'ai retrouvé ici de vieux amis, qui ont été très solidaires avec moi à tous points de vue, mais ni la Vermine ni toi n'êtes là, ni aucun de ceux qui peuplent de plus en plus intensément mes rêves. Vivre en exil aiguise notre sens onirique. J'ai plusieurs propositions de travail, pour le jour où j'aurai des papiers en règle. En attendant je travaille au noir et je gagne bien ma vie. J'ai pu au moins louer un petit appartement. Si tu veux savoir, je l'ai cherché avec vue sur ta mansarde hexagonale. Chaque matin, je vais sur la terrasse et je souffle des baisers vers toi. J'espère que tu en feras autant dorénavant.

Tes parents sont-ils toujours aussi cinglés ? Envoie-moi le nom du sculpteur, je le retrouverai peut-être, et je lui annoncerai la bonne nouvelle que, là-bas, dans sa vieille demeure du Vedado, une vieille folle vénère son Wifredo Lam et espère le lui rendre un jour. Moi, rien ne m'échappe. C'est typique des Gémeaux, d'être géniaux... J'ai déjà visité des galeries de peinture, des librairies, je suis allé au théâtre, qui, d'ailleurs, malgré tous ces acteurs émigrés, est vraiment infâme, extrêmement vulgaire. Le cinéma n'est pas terrible, c'est comme le samedi soir là-bas, version actualisée. Je ne cesse de chercher et d'explorer des voies pour me convaincre que je suis normal, que je peux surmonter haut la main ce sentiment sauvage d'urgence qui m'a toujours dominé. Qui a ruiné mes projets. Le mot Lynx tinte à mes oreilles comme le mot exil. Je dois t'avouer qu'il m'arrive parfois de regretter l'instabilité. Ici, je suis encore trop anonyme, et je ne peux pas supporter l'anonymat. Là-bas, je dormais sous les escaliers, mais du temps où les revues existaient, j'étais publié. Quitte à être censuré ! A cause de ce genre de contradictions, tu finis à l'asile, tu te jettes à la mer, ou tu t'enfermes à double tour et tu ignores que la rue existe. Comme tu le dis très bien, on ne peut pas être quelqu'un dès son arrivée. Je dois travailler dur. Travailler, enfin ! Faire mes preuves ! Etre fidèle à ce surnom scandaleux que la Vermine et toi vous m'avez donné ! Même ici, je ne me libère pas des objectifs à atteindre. Mais ne crois pas que je risquerai à nouveau ma vie. Tenter une nouvelle ascension à quarante ans est un nouvel isolement, que je prendrai comme une blague. Souhaite-moi de réussir. Pour ce qui reste à dire, la parole est à notre indissoluble amitié. Et je vais raccrocher, parce que cet appel passe par le Canada, et il me coûte la peau des fesses. Je n'oublie personne, je n'oublie rien.

Il a raccroché et le téléphone a rendu l'âme, demain il faudra que j'aille avertir la compagnie. C'est toujours pareil, après un appel de longue distance, la ligne est naze ! Déjà sept heures du soir ! Nous avons parlé tant que ça, le Lynx et moi ? Je ne peux pas le croire, il faut pourtant que je reprenne la routine, me laver, me faire belle… Cette nuit est celle du Nihiliste. Il m'a prévenue de ne rien faire à manger, il allait apporter une surprise. Je ne sais comment j'arrive à arracher le Lynx de mon esprit pour plonger dans les ténèbres de la salle de bains. Le néon a claqué depuis un bout de temps, et je me douche à tâtons. Qu'est-ce que je vais mettre ? J'ai certainement une mine de papier mâché. La journée a été rude ! Me maquiller dans le noir avec cette poudre que je conserve depuis l'âge de quinze ans sans ressembler ensuite à un masque du kabuki tiendra de l'exploit. Le Nihiliste appréciera certainement plus ma pâleur d'héroïne de Dracula.

Je voudrais penser davantage au Lynx, consacrer plus de temps à ses angoisses, à nos chagrins mutuels, mais j'ouvre l'armoire et je n'y trouve pas ma petite robe à fleurs lie-de-vin. Je retourne dans la salle de bains et je fouille la panière du linge sale, la voilà ! Si je n'avais pas été dans la lune, j'aurais eu le temps de la laver, elle aurait déjà séché, et je l'aurais repassée en un clin d'œil – à supposer qu'il y ait du courant, bien sûr – car c'est un tissu facile à défroisser. Je vais mettre la jupe et le tee-shirt noirs. Mais non, la déesse Oshún se fâche si je porte des vêtements sombres. Je crois que le corsage jaune m'ira bien. Mais non, ma petite, avec la mine que tu as, le jaune va t'achever ! Quel casse-tête ! Et pas une aspirine à l'horizon… Et si je ne mettais rien du tout ? Si je le recevais nue ? Une femme amoureuse a toutes les audaces. Quel que soit son âge.

VIII

LES NUITS DU NIHILISTE

“Tout porte à croire que les chapitres VIII de la littérature cubaine sont condamnés à être pornographiques.”

Ainsi s’exprimera le censeur quand il lira ces pages. Le censeur qui m’échoit grâce au rationnement, car chaque écrivain a son censeur attitré. Il dictera ces mots à la secrétaire qui tapera le rapport de mon roman, en se référant, ce qui est tout à mon honneur, au chapitre VIII de *Paradiso*, de José Lezama Lima, chef-d’œuvre de la littérature universelle dont aucun censeur – est-il besoin de le préciser ? – n’a jamais pu terminer la lecture. Ils s’endorment avant, ils ne comprennent rien, même pas pourquoi les gens disent que le chapitre VIII est pornographique. Mais puisqu’il faut persister à le cataloguer comme tel, nul ne saurait le remettre en question, et ils ne connaissent même pas la différence entre érotisme et pornographie, ce qui les empêche de se rendre compte que, non seulement le chapitre VIII, mais tout *Paradiso* – un des romans les plus sensuels de la littérature contemporaine – est érotique d’un bout à l’autre. Et après tant de silence – de censure –, des enjeux plus politiques que culturels ont fini par rendre les censeurs plus lézamiens que le pape.

Je regarde ma montre, il est déjà huit heures et demie, et depuis sept heures et demie je suis nue, lavée, parfumée, les cheveux sur les épaules. J'ai même branché l'air conditionné, heureusement il semble que le courant ne va pas être coupé ce soir, il l'a déjà été ce matin. Et je suis en train de me geler à attendre le Nihiliste, à poil, les mamelons hérissés, les pieds fripés, recroquevillée, avec la chair de poule. Et Peter Frampton qui chante *Show Me the Way*.

Le Nihiliste est cinéaste, il a mis en scène quelques vidéoclips musicaux et il a déjà réalisé un premier long métrage de fiction, en utilisant les chutes de pellicule des réalisateurs reconnus. Il a mis sept ans, entre les prix, les interrogatoires, la prison, les retraites volontaires, la dissidence et la réintégration. Mais presque personne ne sait qu'il est cinéaste. Son film n'a été programmé qu'une seule fois pendant le festival, et il n'a pas été commercialisé car il est postexistentialiste, la vie que mène ce peuple est déjà, en soi, postexistentialiste en diable, pas la peine de lui infliger en plus le spectacle de sa propre image. Offrons-lui plutôt des films musicaux populistes, vulgaires à souhait. Des tas de premiers plans : culs à la cellulite qui se trémoussent (n'importe quel mannequin de dix-sept ans a déjà les fesses abîmées, le galbe d'un cul ne résiste pas au bombardement des haricots), seins flasques, cheveux décolorés, faux cils et gaieté à la pelle, la bonne gaieté tropicale, aguichante pour le touriste, factice au possible. Les vidéoclips du Nihiliste n'ont pas eu l'heur de plaire non plus, parce qu'ils portaient sur des rockers postexistentialistes, violents, échevelés, dépoitraillés, aux shorts à franges délavés, pieds nus, avec des tignasses qui crèvent l'écran, braillards, enragés, et tout ce qui est censé troubler la sérénité d'un touriste. Alors, le cinéaste, je veux dire le Nihiliste, s'est mis à écrire – avec un espoir immense, une foi, une ardeur et toutes ces lubies qu'ont les jeunes dans la tête quand ils se lancent dans une aventure artistique –, un second scénario, pour un long métrage de fiction. L'histoire raconte la promenade de trois jeunes d'une extrémité à l'autre du Malecón, au moment culminant ils se battent, et l'un d'eux part sur un pneu de camion pour Miami, les autres restent bêtement seuls. A la fin la fille dont le protagoniste était amoureux meurt noyée dans sa tentative de le suivre sur un autre pneu de camion. Bien sûr, c'est un scénario qu'il faut re-travailler, re-écrire, re-penser, re-modeler, re-voir, re-prendre, re-jeter. Ré-primer. Et le Nihiliste qui n'est pas idiot l'a laissé tomber, il s'est tu, et il est retourné dans son coin. Plus parano que triste.

J'ai fait sa connaissance dans un festival de jeune cinéma. A l'époque, il était dissident, et on l'empêchait d'achever son premier film. Très peu de gens le saluaient, il traversait la foule comme s'il était transparent. J'étais assise par terre sur des coussins

– ce n'était pas pour faire chic mais parce qu'il n'y avait pas de chaises – à côté du Lynx et de la Vermine (elle ne fit pas attention à lui, elle n'avait d'yeux que pour le Lynx, sans quoi elle me l'aurait piqué). Il y avait aussi le Géant, qui n'apparaît pas dans ce roman car il est si grand qu'il accaparerait à lui seul tous les chapitres (et soit dit en passant, il est noble et vient de découvrir qu'il a hérité de l'un de ses ancêtres : un abbé français !), et le Pianiste, qui n'est pas là non plus, dans ces pages (c'est le plus lucide de nous tous, car il possède le mystérieux pouvoir de communiquer avec une voix de l'au-delà qui l'aide à voir clair avant de faire des gaffes). Le Dentiste était là, lui aussi, le plus joyeux de la bande, un jouisseur de première. Et je ne sais plus s'il y en avait d'autres, je ne m'en souviens pas, car le Nihiliste s'était procuré de l'herbe et de la poudre, de la superneige, du vrai Décap Four. On a tout de suite décollé.

Je suis partie avant les autres, le Nihiliste m'a rejointe et nous sommes allés chercher davantage d'herbe, mais il n'y en avait plus. A La Havane, il vaut mieux ne pas trop tarder à se procurer les choses, et les accaparer. Chez moi, nous avons pilé divers comprimés de trifluopérazine, de Valium, de Gardénal et d'autres barbituriques, mélangé la poudre obtenue avec le tabac d'une cigarette Popular filtre, négociée dans la rue, puis nous avons fumé toute la nuit jusqu'au matin, jusqu'à six heures, à ce moment-là le Nihiliste a remis sa chemise et il s'est tiré. Nous nous sommes juste raconté nos histoires respectives, on planait, euphoriques, morts de rire, déprimés, shootés, hyperlucides. Nous n'avons fait que fumer, aspirer, nous regarder, quelquefois nous frôler. Mais on n'a pas baisé. Le Nihiliste a disparu de ma vie pendant près de deux ans.

Le Lynx vint me voir deux ans après ce petit matin-là. Le visage grave, crispé, il me dit qu'il devait aider par tous les moyens le jeune cinéaste, sauver ce type dont on voulait la peau et qui était au bord du suicide, sur le point de quitter le pays en radeau. Et je ne songeai pas une seconde au Nihiliste, j'étais plongée dans un de ces flirts idiots dont j'ai le secret avec un acteur de théâtre qui allait devenir par la suite une vedette de l'écran. A midi, on frappa à ma porte, c'étaient le Lynx et le Nihiliste, ce dernier portait sous le bras une cassette vidéo, enveloppée dans le journal *Granma*. Grâce au Lynx, j'étais devenue entre-temps experte dans le maniement des engins de haute technologie. Le Nihiliste ne dit presque rien, moi non plus, mais son corps irradiait une énergie intense en direction du mien, et vice versa. Nous regardâmes son film.

— Je ne vois pas le rapport avec ce putain de diversionnisme idéologique !

Telle fut l'analyse, plus passionnelle que professionnelle, du Lynx. D'ailleurs, professionnellement parlant, le film n'a pas un poil de diversionnisme idéologique. Le Lynx remua ciel et terre, avec l'appui de ses *orishas*, les divinités Elegguá et Obbatalá, et le Nihiliste put réintégrer le royaume de ce monde, tout propre et tout nu, un vrai nouveau-né. Et moi, que pouvais-je faire ? Mes *orishas* m'orientèrent aussi et je fis ce qu'en pareil cas font les déesses, Oshún la sensuelle et Yemayá la maternelle : passer à l'attaque en mobilisant le cul et l'esprit.

Ce soir-là, le Nihiliste me téléphona. Il appela d'abord deux fois et raccrocha. J'avais pensé à lui tout l'après-midi. Mais jamais deux sans trois :

— Dis donc, tu ne m'as pas parlé du film, comment tu l'as trouvé ?

— Viens à la maison, on en parlera, c'est un sujet que je préfère ne pas aborder par téléphone, j'aimerais bien conserver ma ligne intacte… et après on en verra un autre, *The Doors*. Tu connais Jim Morrison ?

— Bien sûr ! Je suis un fan… Ne me dis pas que tu l'as, ça fait des siècles que je le cherche !

— Des siècles, ça m'étonnerait ! C'est un film tout récent.

— Allons, c'est une façon de parler… J'arrive.

Dix minutes plus tard, il sonnait, ruisselant de sueur. Il avait pédalé tel un dératé sur son vélo sans loupiotes, dans la rue Veintitrés, noire comme un four. Il entra, ses yeux verts se posèrent sur mes yeux verts. Les siens sont plus clairs, les miens ont la couleur des olives. Pas besoin d'être sorcière pour deviner que j'allais tomber amoureuse, pas seulement parce que je passais ma vie à tomber amoureuse, une vraie maladie, mais parce que je traversais un désert de solitude, à cause de ces compagnies éphémères, et que j'avais besoin de quelqu'un d'intelligent, d'énigmatique. J'avais besoin du *big love*, de mourir d'amour, de vivre d'amour, de me défoncer. D'un type qui me fasse craquer, et réciproquement. De craquer à deux. D'un type qui comprenne que je ne suis pas le genre facile, que je suis à moitié folle ou même complètement. Aujourd'hui je t'aime, demain tu me fous les glandes, le genre de conneries que peu de mecs sont prêts à accepter. Je n'étais pas non plus très portée sur les petits maris. Je courais après l'amant éternel. Et je crois, mais je me trompe peut-être, l'avoir attrapé.

Ce soir-là, comme beaucoup d'autres par la suite, nous avons mangé du riz et des œufs au plat, on vendait encore à l'époque les œufs sur le marché libre. Nous avons fait la vaisselle : je savonnais, il rinçait les deux assiettes, les deux verres, une fourchette et une cuiller (il ne sait pas manger à la fourchette), la poêle et la casserole. Nous nous sommes allongés sur le lit, raides comme des baguettes, mais une énergie épaisse émanait de nos corps. Vers le milieu du film, sans le vouloir, mon pied heurta le sien. Il crut y voir une caresse timide et il enfonça dans mes cheveux sa main perverse, comme la main de l'Orlando de Virginia Woolf. Je n'en pouvais plus, je pivotai et l'embrassai sur les lèvres. Et je sus ipso facto que ce serait lui mon mâle, car je reconnus dans son baiser le premier baiser que j'avais donné à la sculpture au front bouclé, il faisait onduler sa petite langue comme on imagine dans l'enfance les baisers des adultes. Le nôtre dura tout le reste du film. Nous n'avons jamais pu le voir en entier. Chaque fois que nous le mettons, nous en ratons la moitié. L'expérience de Pavlov avec ses petits chiens a dû nous influencer.

Le baiser dura tout le reste du film, mais pas seulement sur la bouche. Il descendit doucement dans le cou, puis à petits coups de langue il alla du menton jusqu'aux mamelons, où il s'éternisa pendant des minutes de jouissance infinie. Ensuite il glissa encore plus lentement des seins vers les côtes, s'achemina vers le nombril et le bout de sa langue fit des ravages sur mon ventre, l'entraînant dans une danse orientale, façon de dire que je me trémoussais avec la frénésie d'une esclave en transe. Puis, ses longs doigts écartèrent les poils de ma toison, découvrirent le clitoris écarlate et dressé sur lequel il déposa le baiser qui devait consacrer son auteur pour les siècles des siècles prix Nobel de cunnilingus. Son nom mériterait de figurer dans *Le Livre Guinness des records* comme le plus grand suceur de toute l'histoire des civilisations. J'eus sept orgasmes, ou plutôt j'ai joui sept fois. Quand il se déshabilla, son corps grec me laissa bouche bée, prête à saliver : des épaules légèrement plus larges que les hanches, brunies par notre dieu soleil, dorées à point. Des hanches étroites, des fesses parfaites, lisses, le duvet surgit sous sa queue et assaille les cuisses. Des cuisses symétriques, musclées, des jambes tendues, des chevilles solides, des pieds d'une grande élégance et bien proportionnés – ce qui est de bon augure – avec le doigt du milieu plus long que le gros orteil, détail qui en fait sans conteste un pied attique. Un cou aux dimensions idéales, ni trop large, ni trop long. Des cheveux frisés, un front paré de boucles délicates. Un nez proéminent et droit. Des lèvres bistres, douces comme une bouillie chocolatée. Des bras musclés, mais sans excès, des poignets forts, des mains longues et douces dont j'ai déjà parlé. Chose étrange, cet homme m'apparaît comme une œuvre d'art exquise, à l'extérieur autant qu'à l'intérieur. Car il est tendre aussi, patient et paisible. Sa voix ne s'est jamais altérée le moins du monde. C'est mon amant, et non mon bourreau.

Sa queue, ah, saint Lazare béni, mon Babalú Ayé ! La queue du Nihiliste est la huitième merveille du monde. Et elle a toutes les chances de se retrouver en tête du classement des fortunes de notre siècle. Car posséder une queue pareille est comme avoir un compte en Suisse avec des millions et des millions de dollars. (Je dois signaler, avant que j'oublie, qu'il a un grain de beauté rond et noir près du nombril.) D'où émerge, entre les pores, une fourrure soyeuse, c'est un régal de la caresser. Quand la main atteint la racine du membre – rien à voir avec un membre de CDR –, forcément vous en avez l'eau à la bouche et l'écume aux lèvres.

Elle est lisse, elle mesure quatorze centimètres, le double en érection, et je me demande si c'est parce que je suis large ou parce qu'elle sait se mouvoir en spécialiste, en tout cas elle ne m'a jamais fait mal, elle ne m'a jamais blessée, même dans le coït de la couturière, un point en avant, un point en arrière, de la vulve à l'anus, et vice versa. Sous sa peau diaphane et rosée de nouveau-né, brillent des milliers de veinules rouges, on croirait un jardin miniature de Princes noirs, qui sont en cubain des roses rouges. Le prépuce est docile, il calotte et décalotte quand il faut, on dirait un châle Belle Epoque. Au toucher, il a la chaleur de la gelée royale et cette vigueur qui guérirait l'angine la plus coriace. Le centre est solide, insensible aux glissements de terrain, étayé depuis un nombre invraisemblable de siècles avant notre ère, une vraie colonne du Parthénon. La tête – un véritable ordinateur équipé du software le plus efficace et avancé –, pute et cérébrale, parce qu'elle atteint toujours le point sensible, le point de la victoire. Elle n'a de cesse que de trouver la solution parfaite, la position confortable, l'opération adéquate. Elle s'exécute fébrilement. Sa pine, comme Picasso, "ne cherche pas, elle trouve". Vibrante, délectable. Une senteur de peau lavée avec Monsavon, à base d'extraits d'arômes très anciens : patchouli, jasmin, rose et lait de chèvre. Et son foutre ! Lait de mon cœur ! Si seulement la ration de lait pouvait être pareille ! (Mais la ration à laquelle Hernia l'aquatique a droit, outre qu'elle la touche un jour sur deux, est malgré son appellation de "litre concentré" une lavasse insipide, dépourvue de vitamines, qui ne tache même pas les verres. Et encore, Hernia a eu de la chance d'en avoir grâce à un ami toubib qui lui a inventé un ulcère. Moyennant quoi elle m'offre de temps en temps un petit verre de lait.) Son lait, foutre adoré ! Le lait de cet homme semble jaillir d'une jeune Holstein, dont le jet s'abattrait telle une manne céleste. Le sperme de cet extraterrestre a justement ce goût, c'est une gorgée d'étoiles, scintillante, interplanétaire, transmise par satellite. Un cocktail bourré de spermatozoïdes agiles, féconds, pleins de vitalité.

Je grelotte, je vais certainement attraper la mort, et il ne reste plus une seule aspirine, ni chez moi, ni dans aucune pharmacie, dès qu'il y en a elle disparaît aussi sec, bien qu'elle figure maintenant sur la carte de rationnement, mais les pharmaciens continuent de la revendre au marché noir. Je me gèle, mais je ne débranche pas l'air conditionné parce qu'il fait très chaud dehors et que le Nihiliste aime faire l'amour au frais, en imaginant qu'on est en plein hiver européen. Je me suis déjà lavé les dents quatre fois, on ne sait jamais, j'ai peut-être mauvaise haleine à force de rester la bouche fermée, sans parler. Je souffle dans la paume de ma main, ensuite je la sens, mais non, il n'y a rien, je me fais des idées, symptômes de schizophrénie, ou indices d'une ménopause précoce.

La clé grince dans la serrure. Il entre, lui, mon pantin enragé, en battant des paupières parce que la sueur et la poussière lui coulent dans les yeux. Avec une chaîne et un cadenas, il attache sa bicyclette à la grille qui protège l'entrée de l'escalier. Je vois qu'il est furibard, il n'a même pas remarqué que je suis nue. Il enlève délicatement son sac à dos, puis referme la porte pour conserver l'air frais dans l'appartement. Assis sur le canapé, il essuie la sueur avec un mouchoir de cow-boy, il essaie de lisser les boucles collées à ses joues. Enfin, il lève les yeux vers moi : la femme nue qui attend.

— Pardon, mon amour, mais je suis moulu... Mon pneu a crevé. Il a plu, avec tes fenêtres fermées, tu n'as pas dû t'en rendre compte. Mes vêtements ont eu le temps de sécher sur moi pendant que je faisais la queue à *La Piragua*, les pizzas sont arrivées tard, il y avait un monde fou... Si j'avais attendu mon tour, je n'aurais jamais eu de pizza... tu sais combien j'ai dû payer un revendeur pour deux pizzas ? Cent vingt pesos, soixante chacune. A trente pesos près, c'est mon salaire d'un mois... Et le fromage n'est pas du fromage, c'est des capotes made in China fondues. Le bon fromage, les employés le fauchent.

Je le regarde avec stupeur sortir deux morceaux de pâte à pain de taille différente, grossièrement arrondis, puant le fromage ou plutôt la capote rance, barbouillés d'une teinture rouge qui n'a rien à voir avec de la sauce tomate. On les met tout de suite au four, avant qu'il n'y ait plus de gaz. Une minute après, il nous faut les passer à la poêle sur un réchaud électrique.

Enfin, il pose sur moi un regard différent, ses yeux joueurs passent en revue chaque partie de mon corps. Il me prend les mains, qu'il baise de ses lèvres ailées. Il se moque tendrement de ma nudité, tandis qu'il pose sa joue droite entre mes seins, noue ses bras autour de ma taille, laisse retomber ses mains croisées derrière, sur les fossettes de mes reins. Ça commence à sentir le roussi et nous prenons nos pizzas à demi carbonisées. Nous sommes des privilégiés, nous avons remporté la bataille contre le haricot. Manger une pizza à La Havane par les temps qui courent équivaut à un dîner parisien à *La Tour d'argent*. Pour manger dans une pizzéria miteuse, il faut réserver et être un ouvrier bien noté du Syndicat, même les McCastro, ces cafétérias, sorte de Quick du socialisme où l'on vendait des hamburgers au soja vert caca d'oie, ont fermé boutique. A présent, pour manger des hamburgers, il faut avoir des tickets que le Comité de défense de la révolution distribue à ses membres.

La table est recouverte d'une nappe de fin coton blanc brodé, avec des serviettes assorties, cadeau de mariage de l'arrière-grand-mère de la Vermine aux parents de celle-ci, dans les années quarante. Bien qu'il y ait du courant, j'ai choisi des bougies pour éclairer la pièce. Je mets une cassette de chant grégorien. Il tire de son sac à dos la grande surprise de la soirée, une bouteille de beaujolais primeur ! Il l'a échangée à un chanteur de salsa qui voyage beaucoup contre une armoire Art déco créole des années trente. Il débouche la bouteille et nous portons un toast à notre amour, avant de boire à petites gorgées, comme il le mérite, l'excellent vin français. Ses yeux verts sont fixés dans les miens couleur d'olive. Nous dévorons les pizzas, nos intérieurs émettent des gargouillis indécents de protestation, car ils restent sur leur faim, étranglés par les préservatifs asiatiques. Nous vidons la bouteille, mais nos têtes restent à peu près en place, alors chacun se rendant compte que le vin ne pourra à lui seul provoquer le grand désordre de nos sens, nous commençons à jouer la délicieuse ivresse qui aurait dû s'emparer de nous. Nous rions à perdre haleine, sans savoir pourquoi nous rions. Il enlève ses vêtements et me court après, pour rendre la poursuite plus excitante, il pousse les meubles, invente des obstacles. Quand il décide de me prendre, il me mord la bouche pendant au moins dix minutes, jusqu'à ce que ma langue soit douloureuse, ma gencive engourdie, ma mâchoire crispée, mes lèvres tuméfiées. Il glisse vers mon cou, et il recommence, mais je le pince car je n'aime pas les marques violettes que laissent les suçons. Mon pincement est un coup de fouet, pénis et testicules durcissent et se contractent. Mes seins les enserrent, ma langue souhaite la bienvenue à l'auguste tête de l'animal, le roi de cette jungle constituée par les poils du pubis. Je le suce jusqu'à l'épuisement, il agite les hanches d'avant en arrière, et sa queue me pénètre au-delà de la luette, disons que je lui en avale la moitié. Parfois je dois le retenir de toutes mes forces parce que j'ai envie de vomir. Vomissement et plaisir, haut-le-cœur et nausée délicieuse. Mon clitoris est dressé, ma vulve mouillée s'épanouit, mais il continue l'assaut de ma gorge

Quand il est sur le point d'éjaculer, il sort de ma bouche au prix d'un effort incroyable. Il va au lavabo et s'asperge le sexe d'eau glacée. Il étend le couvre-lit par terre, et nous savourons allongés de subtiles caresses que nous retenons à dessein.

Au bout de quelques minutes, son doigt s'affole et masse mon clitoris comme s'il branlait un sexe d'homme. Ma tête cogne le carrelage. Il la prend entre ses mains et m'embrasse doucement le front, les paupières, le nez, les joues, les oreilles, la bouche, le menton. Sa salive ruisselle comme des larmes sur l'ovale de mon visage.

— Et si on s'asseyait l'un en face de l'autre, toi sur moi ?

Une question qui ressemble plutôt à une suggestion.

J'ai parfaitement compris que je devais enterrer son sexe dans le mien, et bouger d'un côté à l'autre, de droite à gauche, et inversement, tout en me trémoussant et en l'embrassant les yeux ouverts, ou simplement me cambrer de telle sorte que la pointe de mes seins soit à portée de sa bouche et qu'il puisse ainsi les sucer jusqu'à plus soif. C'est là que j'ai mon premier orgasme. La jouissance, lente, se déroule centimètre par centimètre, mes yeux ont chaviré dans les siens et les poils de sa poitrine caressent mes seins dressés.

Ma plainte gigantesque me renverse en arrière, le dos arqué. Il en profite pour se retirer. Avec une furie qui m'étonne, il me retourne, étire mes jambes et les écarte, mon nez s'enfonce dans la soie d'un coussin. Sa queue est entre mes fesses, il les serre et comme je remue, cela donne une masturbation géniale, comme entre les seins. Je ne m'y attendais pas, mais je sens l'anus qui cède et je le supplie d'y aller, à peine a-t-il introduit la pointe que je manque de m'évanouir, tant la douleur est suraiguë. Pourtant, cela n'éteint pas le désir foudroyant que j'éprouve d'être pénétrée par-derrière, mes mains l'aident à écarter les fesses et il entre peu à peu, de plus en plus aisément.

— Doucement, doucement…, dis-je, suppliante.

Mais le ton innocent de ma voix l'enflamme plus encore, et plus je l'implore d'une petite voix, plus ses poussées en moi deviennent rudes. Soudain, il décide l'assaut bestial. Je ne comprends pas, rien ne l'a provoqué, mais mon vagin palpite frénétiquement. Il y introduit le médius et se caresse ainsi à travers les tissus. Il est près de jouir, mais il se retient.

Il se laisse tomber sur moi de tout son poids, absolument immobile, attendant que les effets de ma jouissance se dissipent et que je retrouve le désir. Ma propre liqueur coule comme jamais le long de mes cuisses, jusqu'aux genoux, cataracte de sève. Le feu ancestral consume mes petites lèvres, j'ai besoin de faire le plein de virilité. Sur ma peau brûlante, il fait glisser un glaçon, sur mes aisselles, mes talons, entre les jambes. Dans mon utérus incandescent, il introduit des petits cubes glacés qui fondent aussitôt. Il s'approche de la table de nuit et fouille dans le tiroir, la mine gourmande. Je suis déconcertée :

— Qu'est-ce que tu cherches ?

— Du Vicks et du Baume du Tigre, répond-il non sans malice.

— Pour quoi faire ? Tu crois que j'ai la chatte enrhumée ? je lui lance par plaisanterie, mais je suis abasourdie.

— On m'a dit que c'est un lubrifiant du tonnerre.

— Tu es complètement givré ! Mais puisqu'on te l'a dit, essayons...

Il me vide la moitié du tube de Vicks dans la fente. Il se frotte le gland dans le petit pot de Baume du Tigre, ça me fait rire, on dirait qu'il cherche à le soulager d'un mal de tête. Ma chatte devient montgolfière, dirigeable, et les parois du vagin se collent les unes aux autres. Il m'embrasse, son gland me chatouille la praline. Je n'y peux rien, je jouis une troisième fois. C'est ainsi, haletante et mentholée, que je suis pénétrée jusqu'au nombril, mon vagin engloutit l'air, mon sexe crache le feu par intermittence, s'éteint, se rallume, s'enflamme encore, résultat du mélange des deux pommades. Comme si l'on avait craqué en moi une boîte entière d'allumettes, chacune représentant un orgasme qui me laisse défaillante, exposée de plus en plus docile au plaisir. Je ne compte plus. Je jouis à l'infini. Je vais perdre connaissance quand il colle ses lèvres aux miennes, un baiser hagard. Un spasme s'empare de notre centre de gravité et quelques secondes plus tard son sperme inonde mon sexe, j'ai des visions fantasmatiques, en pleine réalité virtuelle. Ainsi prend fin notre *Neuf Semaines et demie*, nous avons seulement remplacé les fraises, les cerises, le champagne et la crème Chantilly par des pommades contre la douleur.

— Je t'aime, mon amour, je t'aime, je t'aime et je t'aime, répète-t-il, insatiable.

— Moi aussi, je t'aime, dis-je dans un souffle, entre la vie et la mort.

Je trouve idiot de se dire ce qui a déjà été dit tant de fois, lieux communs et banalités. Mais il faut que nous nous le disions, nous en avons grand besoin tous les deux. Et les mots d'amour les plus sincères sont les moins originaux.

— J'aimerais avoir une fille avec toi.

— Ce n'est pas le moment de faire des folies. Je donnerais n'importe quoi pour être stérile. Mais il faut que je fasse gaffe, je tombe enceinte rien que de sentir l'odeur du sperme.

Je bâille en disant le contraire de ce que je pense, mais à quoi bon rêver ?

— Ce ne serait pas une folie, ce serait merveilleux. Il change de position, se recroqueville comme un fœtus. ... Cet après-midi, en faisant la queue pour les pizzas, j'ai eu l'idée d'un film génial, je l'ai vu plan par plan. Je l'ai là dans le crâne... Il faut que je l'écrive, que je filme cette histoire...

Je lui caresse les tempes. Une odeur d'eucalyptus envahit la chambre. Ses paupières se ferment et sa respiration devient plus grave. Pourquoi faut-il, après l'amour, que ce soient toujours les mecs qui s'endorment les premiers ? A peine ai-je cette pensée qu'il ouvre un œil :

— Je ne dors pas, je réfléchis...

— A quoi ?

— A toi, ma petite, à toi... Il cligne des yeux et les muscles de son visage se détendent, il ronfle presque imperceptiblement. Il change encore de position, étire les bras au-dessus de la tête. L'impertinence de mon regard le réveille. Et au film que je vais faire… Je pense aussi au film que je vais faire…

Je ne veux pas l'attrister en lui racontant que le Lynx a appelé, et encore moins gâcher sa nuit en parlant de la lettre de la Vermine. Nous avons déjà assez à faire avec nos pauvres illusions et nos projets tronqués. Il vaut mieux que je le laisse rêver à son film, à ses idées fixes. Le pauvre, peut-être se voit-il déjà en train de recevoir l'oscar des mains de Jane Campion ou de Peter Greenaway. C'est un Nihiliste de génie, et je ne veux pas rompre cette magie. Je n'ai encore jamais regretté aucune de ses nuits.

IX

ET DIRE QUE JE LE METTAIS SUR UN PIÉDESTAL

Je me réveille parce qu'on a sonné avec insistance. On croirait que nous avons dormi plusieurs heures, mais le réveil indique que seulement trente minutes se sont écoulées. La peau du Nihiliste vibre encore. Effrayés, nous nous habillons en vitesse. Personne ne vient jamais. Nous n'attendons aucune visite. Je gère très bien les jours que j'attribue au Traître et ceux que je consacre au Nihiliste. C'est moi qui ouvre la porte. Naturellement, ce ne pouvait être que le Traître ! Il m'embrasse sur la joue, pour éviter tout soupçon du Nihiliste. Parce que le Traître est au courant de mon histoire avec lui, et il l'accepte. Il sait mon goût pour la vendetta. Quant au Nihiliste, il n'ignore pas que je vois le Traître, il croit que j'entretiens des relations amicales avec un premier mari bon pour l'asile. Je lui mens en prétendant que deux soirs par semaine, les jours où je lui interdis de venir, je suis des cours particuliers de français avec Mme Lenormand, une prof qui vit très loin, en dehors de La Havane, au diable vauvert. Je dis que je m'impose cette discipline pour ne perdre ni ma prononciation ni mon vocabulaire. Je m'en tire comme ça, les deux me croient, ou font semblant de me croire. Le Traître m'embrasse donc sagement.

— Tu es toute chaude, tu as de la fièvre ? demande-t-il, indiscret.

— Non, on vient de baiser, dis-je cyniquement pour toute réponse.

— Ah, ah !... encore heureux que je ne vous aie pas interrompus... Ecoute Yocandra, cela m'embête beaucoup, mais on m'a prêté ce bouquin de Jean-François Lyotard, je dois le finir parce qu'il faut que je le rende demain matin, à la première heure... Il n'y a pas de courant chez moi, et je n'ai plus le moindre bout de chandelle...

— Allez, entre, va t'installer sur la terrasse. Tiens, je te présente... le Nihiliste.

Celui-ci apprend par la même occasion que je l'ai affublé d'un surnom. Il a l'air surpris, mais le surnom lui plaît, il est content d'être baptisé ainsi.

— Et vous, vous devez être le Traître, lâche-t-il sans me laisser le temps de l'empêcher d'un clin d'œil salvateur de prononcer ce mot.

— Ah bon ? C'est comme ça que Yocandrita m'appelle ? Première nouvelle ! Car je mettrais ma main au feu que c'est une idée à toi, n'est-ce pas Yocandrita ? demande-t-il au bord de la colère, mais avec un faux air d'indifférence.

— Ne m'appelle pas Yocandrita, tu sais mieux que personne que je déteste qu'on me colle des diminutifs. Oui, c'est une idée à moi. Et alors ? N'as-tu pas eu l'idée, une fois, de te moquer de mon vrai nom ?

— Moi, me moquer de toi ? J'ai toujours été hyperrespectueux...

— Ben voyons... Allez, tu ferais mieux de te taire.

Je ravale ma salive et je les laisse au salon se regarder en chiens de faïence, jaloux. Je vais aux toilettes, je m'assieds sur la cuvette et savoure, éblouie, l'extase de ma vessie. Je les écoute discuter, sur fond de gargouillis, par la fenêtre qui donne sur le conduit d'aération.

— A-t-on jamais vu un tel mépris ! Traître, moi ? M'appeler le Traître ! Mais pourquoi ? En quoi l'ai-je trahie ?

Le Nihiliste hausse les épaules, feignant de n'en rien savoir, il se lève et va à la cuisine préparer un thé Lipton au jasmin, envoyé par un copain à lui, un Mexicain. Il profite du bruit que fait l'eau en ébullition pour ne pas entendre les paroles du Traître. Mais celui-ci le poursuit de son discours incohérent. Je les épie à travers les fenêtres qui donnent l'une sur le salon, l'autre sur la cuisine. Comme tout narrateur, j'ai le don d'ubiquité.

— Je ne mérite pas ce vilain nom, pas du tout... Au fait, tu sais sans doute qui je suis, son premier mari, c'est moi qui lui ai appris tout ce qu'elle connaît de ce monde...

— Pas tout, vous exagérez. Le Nihiliste l'interrompt. J'en connais d'autres qui lui ont donné des choses, et elle a appris de son côté... elle est intelligente... Nous lui devons aussi beaucoup...

— Moi, je ne lui dois rien. Rien du tout. J'ai toujours été brillant. Elle t'a dit ce que je fais dans la vie ? demande le Traître, mal à l'aise.

Le Nihiliste acquiesce d'un hochement de tête.

— Oui, je sais que vous êtes philosophe.

— Et aussi romancier, renchérit le Traître. Dis-moi, ça ne te fait pas chier qu'elle t'ait surnommé le Nihiliste ?

— Ma foi… Oui et non, c'est beau, poétique, un peu gay sur les bords. Je ne sais pas si je le mérite, peut-être qu'elle m'a appelé comme ça pour ne pas m'appeler le Connard.

Le Traître s'esclaffe, se tient les côtes. Tousse. Il n'a plus de voix, un sifflement malade sort de sa poitrine. Il fouille ses poches, toujours mort de rire, en sort un paquet de Popular, logotype vert, les cigarettes que le rationnement réserve aux plus de trente-cinq ans. Il allume une cigarette et très vite le rideau de fumée se dresse entre le jeune homme et lui. Je finis d'uriner je ne sais combien de litres, je tire la chasse et je réapparais avec l'air de tomber des nues.

— Tu n'étais pas venu lire ? je balance au Traître, histoire de lui rabattre le caquet.

— C'est que j'étais en train d'attendre le thé et de causer avec… le Nihiliste… En appuyant sur le surnom, il part d'un rire frénétique, puis reprend son sérieux, inquiet de ma moue de dégoût. Nous étions intrigués par l'origine de nos surnoms respectifs.

Nous buvons le thé bouillant. Je m'étends sur le canapé, les jambes sur un traversin. J'ai les yeux baissés, mes expériences maritales, aussi amères soient-elles, ne m'ont pas dépouillée de ma pudeur. Expliquer au Traître pourquoi j'ai choisi ce nom pour le désigner, c'est remuer la merde, mettre au grand jour des plaies pathétiques. Autant pincer une verrue cancéreuse. Cela reviendrait à dire ce que je pense de lui comme je n'avais jamais osé le dire, fût-ce à moi-même, devant un miroir. Mes lèvres, pourtant, commencent à bouger machinalement :

— Ne crois pas que je t'en veuille de m'avoir trompée, cela n'a plus aucune importance pour personne. Ne va pas croire que je fais une fixation sur toi, ou que je fais telle ou telle chose pour que tu me doives quoi que ce soit. J'agis toujours par simple humanité. Car la vengeance est humaine, elle aussi. J'aurais pu te ficher dehors, mais je t'ai dit de rester. Alors ne te fais pas d'illusions, ce surnom n'a aucun caractère affectif. Ce n'est pas parce que tu m'as trahie que je t'appelle ainsi. Je sais que tu as bien changé dans tes positions politiques, si avant tu étais un vrai lèche-cul, maintenant tu évites toute compromission avec le régime. Je ne suis pas une conne, je vois que tu es en train de te fabriquer un dossier de futur dissident, pour sauver ta peau, si jamais les choses tournent au vinaigre. Mais ce n'est pas non plus pour ça que je t'ai appelé le Traître. Tu ne te rends compte de rien ? Tu ne te regardes jamais dans une glace ? Quand vas-tu cesser de te trahir toi-même ? Quand finiras-tu par être cohérent avec tes propres pensées ?

Quand cesseras-tu de t'inventer un personnage, de te raconter que tu es en train d'écrire un bouquin ? Ce que tu fais, en réalité, c'est comme un devoir d'écolier, une punition : six cents pages de lignes avec le même fragment : "Je suis écrivain. Tout le monde me poursuit et je n'écris pas. Je suis écrivain." Une litanie imprimée, pour convaincre du contraire. Tu vis dans la trahison. Tu es le traître de toi-même. Tu as ce besoin de trahir les petites choses de la vie. Un jour tu es allé te faire arracher une dent – saine – pour te persuader que cette extraction allait t'empêcher d'écrire pendant des mois. Tu t'en souviens ? Pourquoi continuer de foutre ta vie en l'air ? Si j'ai accepté de ne pas rompre avec toi, si j'ai accepté que tu reviennes, c'est exclusivement pour me venger, et je crois même que je suis en train de t'aider. De plus, je t'offre une chance de reconsidérer ta situation, avant que tu optes pour le suicide. Parce que toi, tu es le candidat typique pour te couper les veines. A condition de dénicher une lame de rasoir en ville, bien sûr. Ou pour t'empoisonner en avalant des tubes de médicaments. Mais ça m'étonnerait que tu puisses trouver une pharmacie qui en ait assez dans ses rayons. En dernier ressort, il te reste la mer, la mer nous offre toujours une porte de sortie. Noyé, tu inspirerais sûrement plus de compassion. Et tu en as terriblement besoin. Tu te shootes à la compassion. J'ai beaucoup hésité avant de te rebaptiser, j'avais le choix entre la Victime et le Traître. J'ai préféré ce dernier parce qu'il a une signification plus large, et parce qu'au bout du compte un traître est toujours victime de quelque chose, de quelqu'un, ou de lui-même. C'est fini. Je ne te déteste même pas. Je pourrais passer la nuit à te balancer des insultes, mais j'ai assez parlé. Si tu as honte, tire-toi, sinon tu peux rester, tu auras toujours un refuge ici, mais à une condition : ta dictature est finie.

— Et c'est la tienne qui commence ? demande-t-il avec ironie, sans paraître blessé le moins du monde.

Ma main s'envole et je lui applaudis la figure ! Clap ! Clap ! Clap ! Trois gifles, coup sur coup, comme dans les films, sans entracte.

Le Nihiliste nous a observés en tremblant, mais quand ma main va appliquer la quatrième gifle au Traître impassible, il retient mon bras au vol.

— Je t'en prie, si tu m'aimes, ne me fais pas assister à ce genre de scènes, tu aurais dû résoudre ça il y a belle lurette.

L'autre allume posément une cigarette, les muscles de son visage cramoisi vibrent. La marque des cinq doigts de ma main forme un beau dessin abstrait. Il prend son livre et va sur la terrasse lire les pages où – d'après lui –, Jean-François Lyotard renie toute son œuvre. J'ai la certitude qu'il continuera de me rendre visite, c'est un accro et un salaud fini. Le Nihiliste cache son visage dans ses mains, et juste pour qu'il le relève et me regarde, je lui demande :

— Toi aussi tu veux savoir pourquoi je t'ai appelé le Nihiliste ? Ça t'intrigue ?

— La seule personne que ça doit intriguer, c'est toi. Je croyais que tu étais sincère avec moi. Je n'ai besoin que d'amour, c'est aussi simple que ça. Je ne veux faire de mal à personne, surtout pas à toi…

Et il interrompt ses paroles insipides, mais authentiques.

Mes yeux saignent presque de larmes. Je les ferme, et de grosses gouttes de liquide salé décollent mes paupières. Je meurs, je me meurs. Il ne peut pas m'arriver tant de choses à la fois. Pourtant, on dirait que rien ne m'est jamais arrivé, comme si je faisais toujours la même chose depuis ma naissance : me taire, éclater, pleurer. Me taire, éclater, pleurer. J'ai mis fin à ma passivité. La mélancolie est ma révolte, la grève dont je suis capable pour revendiquer l'indépendance de ma tristesse face à la tristesse collective, pour obtenir la réduction de mon temps d'angoisse salariée. Payée avec le salaire du devoir. Comme si le devoir permettait d'acheter, par exemple, du sucre, ou du pétrole. Je suis née marquée par le devoir transcendantal. J'aurais dû être fidèle à mes géniteurs. J'aurais dû être fidèle à la patrie. J'aurais dû être fidèle à l'école. J'aurais dû être fidèle aux organisations de masse et aux autres. J'aurais dû être fidèle aux symboles nationaux. J'aurais dû être fidèle à mes "camarades" (le mot ami est tombé en désuétude, il a été éliminé). J'aurais dû être fidèle à mon époux, je veux dire mon "compagnon". J'aurais dû être fidèle à tout ce qui ne m'a pas été fidèle. Par excès ou par défaut. Chers paternalistes, voyez comme la fidélité me tue. Je pleure, infidèle, et telle est la preuve lâche de mon courage. Savoir que je pleure parce que je ne crois en rien, même pas en toi, Nihiliste, qui m'observe les yeux secs, sans bouger le petit doigt pour endiguer mon hystérie. Seul ton pied droit s'agite avec insistance comme si tu étais en train de coudre sur une Singer. Je pleure parce qu'aujourd'hui tout m'arrive à l'improviste, moi, à qui il n'arrive jamais rien, moi qui fais toujours la même chose : pédaler et être dans la lune. Parfois, je me dis que je peux mourir, que tout ce qui devait m'arriver a déjà eu lieu, si vite que je ne m'en suis pas rendu compte. Actuellement, je n'ai droit qu'à mon vélo et à mon esprit. Aujourd'hui toute la vie me tombe dessus d'un coup : mon enfance, mes parents, la Vermine, le Lynx, le Traître, le Nihiliste, le bureau, la mer… Le pays. Comment renaître d'autres parents, avoir d'autres amis, d'autres amours, un autre travail, une autre mer, ou peut-être aucune…, un autre pays ? Ou aucun. Comment cesser d'être moi ? Moi, trimballant mon néant sur le dos, mon insignifiance, mes pauvres petites crottes quotidiennes. Pour être franche et ne leurrer personne, surtout pas moi, je pourrais débarrasser ma tête de toutes ces chiures et me consacrer à mon autre moi, au masque réservé à la survie. Rédactrice en chef d'une prestigieuse revue littéraire, j'assiste aussi bien à des assemblées, conseils restreints, réunions, qu'à des réceptions dans les ambassades, je reste bouche cousue parce que le silence est d'or, et les camarades ambassadeurs m'invitent à de succulents repas et m'offrent du champagne. Le champagne coule à flots, pour parler, cracher tout ce que l'on sait, et aussi ce que l'on ne sait pas. Au moins, eux, ils sont généreux, ceux du camp d'en face sont plus radins : ils veulent aussi te faire vomir jusqu'à ta propre mère, mais en échange d'une vague distinction, remise à la famille après ta mort. Mais ce n'est pas ma vie ! Ce n'est pas moi ! Pourtant tu vis comme ça. Tu te manifestes comme ça. C'est ton portrait tout craché. Et vous ne voyez pas, bordel, comme je perds ce qui fait l'héroïsme de l'être humain, la vie même, à mesure que je rejoins les rangs des satisfaits, les bataillons des médaillés, ceux dont la vie est de mourir pour le premier mot d'ordre falsificateur venu ? Vous ne voyez pas que je suis en train de perdre, l'un après l'autre, tous mes amis ? Ils sont partis, ils partent, je peux à peine parler d'eux tout haut, je dois faire semblant de ne pas me réjouir quand ils s'en sortent, trouvent un travail, se font un peu d'argent, peut-être reviendront-ils, mais ils ne vivent plus ici, nous ne sommes plus ensemble dans la vie de tous les jours, on n'entendra plus jamais : “Tiens, on va passer chez Untel”, parce qu'Untel, Machin et Truc sont partis à Miami, ou au Mexique, pour qu'un passeur leur fasse traverser la frontière, ou en Espagne, pour y redevenir des Indiens, ou en France, pour être des esclaves et s'emmerder encore plus dans la politique.. Vous ne voyez pas, ordures de paternalistes, comment vous assassinez mes amis ? Et ma famille, une bande de dingues, ils ne savent même plus s'ils sont des êtres humains, ils sont du Parti, qui est pour eux au-dessus de toute chose, au-dessus même de leur condition d'êtres humains ?!

— Tu pourrais m'expliquer pourquoi tu pleures ? demande-t-il enfin d'une voix éteinte.

— Je ne sais pas, je n'en ai pas la moindre idée. Il y a des jours où ça me prend, je pleure et je pleure jusqu'à épuisement, et le lendemain j'ai tout oublié, c'est comme une bonne cuite.

— Tu veux que je m'en aille ? Je peux revenir demain.

— Ah non, s'il te plaît, ne me laisse pas !

Je plisse les yeux exagérément à cause des larmes, je ressemble à Ochin, la Japonaise du feuilleton du mardi et du jeudi. Ochin qui mange son riz toute seule. Ochin soumise qui avale des cuillerées de riz sans rien d'autre. Le Nihiliste tire son mouchoir rouge et blanc de cow-boy de la poche de son pantalon, il essuie mon visage. Son geste ravive ma tristesse et les larmes mouillent le carré de tissu brodé à ses initiales. Il ne sait pas quoi inventer pour me distraire, il fait quelques pas dans la pièce et repère le Traître allongé dans le hamac de la terrasse, plongé dans sa lecture. Et comme le Nihiliste est aussi un mortel, il se lasse de me voir me moucher, il ne fait pas d'effort surhumain pour prouver qu'il est différent. Ne serait-ce qu'un demi-dieu, par exemple, un demi-sauveur, parce que les dieux… Comme les dieux sont devenus arrogants envers leurs pauvres créatures ! Le Nihiliste va dans la chambre, ouvre le tiroir de la commode, sort l'échiquier et dispose les pièces.

Après deux heures de jeu en solitaire, le Nihiliste se rend compte que le Traître a refermé le livre à la dernière page. Il l'a enfin terminé.

— Quoi de neuf sur le postmodernisme ?

— Rien de nouveau sous le soleil, des théories et encore des théories, plus alambiquées les unes que les autres. Pour les comprendre il faut vivre dans des cités industrialisées, et nous on est ici comme des bêtes, à attendre, attendre et attendre le char de carnaval, ou le char funèbre… *Ya viene llegando*, comme dit la chanson de Willy Chirino – "C'est le début de la fin". Et ils se marrent comme des demeurés. Le Nihiliste lui montre les pièces noires, il invite le Traître, qui accepte. Vont-ils parier quelque chose ? Oui, le vainqueur aura droit à un baiser de moi. Quelle paire d'imbéciles ! Ils jouent aux échecs et on croirait qu'ils jouent aux osselets. Pendant plusieurs minutes, je ne pense à rien, je fixe leurs dos, leurs tempes tendues, leurs cheveux ramenés en arrière par des doigts nerveux, leur expression taciturne de champions qui jouent leur vie. On dirait Karpov et Kasparov dans leurs beaux jours. Mais eux ne se sont jamais affrontés pour si peu de chose. Le truc du Nihiliste et du Traître, c'est de s'user les neurones pour le plaisir, histoire de tuer le temps jusqu'à l'aube. Et dire que c'est si bon de dormir ! Pourquoi tant d'acharnement à vouloir gagner ? Puisque le prix ne sera que ma bouche muette, ma bouche bâillonnée ?

Tandis qu'ils disputent la partie, je m'éclipse en direction de mon refuge hexagonal, de mes trois fenêtres par lesquelles la mer apparaît de façon différente. Par celle de droite, les vagues vont et viennent, gigantesques, écumantes, furieuses. Par celle du milieu, c'est une mer d'huile, dont l'azur a le scintillement surréaliste du soleil tropical. Par celle de gauche, la mer paraît noire, des étoiles flottent sur la houle. Cependant, toutes trois reflètent en même temps la lune et le soleil, la nuit tombe et le jour se lève alternativement, comme dans les vidéoclips à toute vitesse.

— Gronc, gronc… C'est le cochon que les voisins de palier engraissent dans leur baignoire.

— Frrrr, frrrr, frrrr… C'est le dindon des voisins du dessous qui répond au cochon, du fond de son placard.

— Bêê, bêê… C'est la chèvre d'en haut qui réplique au dindon, attachée sur la terrasse minuscule de sept carreaux sur sept.

— Cocorico, cocorico, cocorico… C'est le chant du coq qui réveille tout le monde. Le coq dans la mezzanine – qu'à Cuba on appelle *grill* et de fait on y crève de chaleur – avec son cocorico éraillé. Le coq ne s'habitue pas aux horaires de l'immeuble, aux exigences de l'assemblée des locataires… Voilà qu'on fait vivre les animaux en appartement et qu'on parque les hommes derrière des barbelés.

Cocorico… Le chant du coq me remplit d'optimisme. Soudain un soleil hyperréaliste brille aux fenêtres. Le jour se lève. Le jour. Le coq m'a redonné des forces. Son chant a plus de sens que n'importe quelle rengaine du Concours international de la chanson de variété. De Cuba jusqu'à Valencia. A Cuba et dans le monde entier. Nous comptons les années en fonction du concours. Qui va gagner cette année ? Pendant ce temps-là, on interroge les coquillages, les pratiques occultes s'épanouissent. Pourquoi ne pas présenter ce coq au concours ?

Sur la terrasse de l'immeuble les tambours retentissent, c'est une cérémonie en l'honneur de Changó. Si tôt, et déjà c'est la guerre. Un soleil de plomb. Un vrai coup de massue. Une épée suspendue au-dessus de ma nuque. Sainte Barbe bénie ! Longue vie à Changó ! Maintenant les gens célèbrent les *orishas* comme ils chantaient auparavant un hymne à l'entrée en classe ou lors de l'acte civique du vendredi consacré à la libération du Viêtnam. Allez savoir, tout cela est peut-être lié. Tout est en relation. Dans mes veines coule du sang noir, inutile de le cacher, je n'ai qu'à écouter un tambour et je sens des chatouilles dans la zone du petit os de la joie. Ma tête lourde, noyée dans les cris sourds et les chants comme des lamentations. Des suppliques à la religion. Des suppliques au néant ?

Les deux hommes sont toujours penchés sur les reines, les rois, les fous, les tours et les cavaliers. Comme l'homme a bien conçu ses divertissements à son image ! Un nuage de mouches et de petits moustiques a envahi la cuisine où pourrissent les ordures. Je prends le sac qui contient les détritus et sans les avertir je descends dans la rue pour jeter ce qui fut et n'est plus à présent qu'un néant dégoûtant. Un néant de merde.

Comme à l'accoutumée, les poubelles débordent. Cinq ou six vieilles femmes vident des seaux de déchets puants en pleine rue. De manière inattendue, la plus âgée d'entre elles lâche tout à coup :

— Et dire que je le mettais sur un piédestal !

Que n'avait-elle pas dit. Une foule de mégères armées de bâtons surgit de derrière les colonnes et encerclent, menaçantes, la vieille. Aussitôt, la plus agressive demande :

— Et peut-on savoir qui est-ce que tu mettais sur un piédestal ?

— Tu sais très bien qui... Personne... C'est une façon de parler.

— Ah, oui, bien sûr, une façon de parler ! Dis donc, vieille délinquante, raclure, vermine, t'as intérêt à tenir ta langue de vipère, si tu veux pas qu'on te fasse la peau !

La petite vieille bat en retraite en sifflotant *L'Internationale* pour effacer toute trace de soupçon ou de malentendu. Une fois qu'elles nous croient disparues, la bande de robustes femelles – bien dans le goût du réalisme socialiste – s'apprête à fouiller nos sacs de détritus. Le moindre papier sera examiné, commenté, classé dans nos dossiers respectifs. Il paraît que l'on classe même le papier-cul, c'est-à-dire le journal *Granma*, après avoir analysé minutieusement le genre d'idéologie que l'on professe d'après la nature du produit déféqué. Je n'en doute pas, ici, le plus petit boulot merdique de répression, c'est toujours un job à prendre. Sinon, il n'y a qu'à voir les Brigades de réponse rapide, poulet à midi, sandwichs et glaces au chocolat Coppelia au goûter, poulet au dîner. Rien d'étonnant à ce que tout le pays qui crève la dalle veuille en faire partie. Ces gens dorment dans les parcs face au Malecón, ils n'en fichent pas une ramée, et ils sont payés et nourris uniquement pour surveiller et cogner. Plus ils tabasseront, plus ils auront droit à du poulet.

Je monte en traînant les pieds. Je traîne ma peur de marche en marche. J'ai peur, je l'avoue, ce qui ne fait que renforcer ma peur. C'est la première fois que je ressens une peur irraisonnée. Je m'attends au poignard dans le dos, au poison, au lance-flammes, au coup de massue sur le crâne. Mais il n'arrive pas. Il ne se présente jamais directement. J'ouvre la grille. J'entre et j'entends des ronflements symphoniques. Incroyable : le Nihiliste et le Traître dorment sur mon lit, l'échiquier est vide, les pièces sont éparpillées par terre. Bien sûr, il n'y a pas eu de vainqueur. A part le sommeil. Les cachets que j'ai discrètement dissous dans leur thé ont fini par faire merveille.

Dans ma cellule hexagonale, je soupire, je respire le fumet du café coupé d'orge. Le jour se lève uniformément. Il y a beaucoup de soleil, et pourtant une brise fraîche soulève mes cheveux. La mer est d'un bleu profond, à sa surface flotte un jardin de tournesols, de tulipes, de lauriers-roses, d'immortelles, d'"océans pacifiques", d'orchidées, de jasmins, de marguerites et de toutes, absolument toutes, les fleurs de la planète. Le ciel est pur et moins chatoyant que la mer. Qu'elle est belle, magnifique, cette harmonie de lumière et de couleurs. Du jamais vu. Mais ce sont des fleurs, ou des cercueils ? C'est un jardin, ou un cimetière ? Moi, je veux un jardin, de toute urgence ! Ah, comme je suis fière d'être cubaine ! Ah, comme je suis terrifiée d'être cubaine ! De grâce, que mes yeux y voient clair ! Ce sont des miroitements naturels, ou les phares de la persécution ? C'est un jardin, je suis sûre que c'est un jardin. La patrie ou la mort. Marre de crever pour des conneries. C'est si beau de vivre cette expérience ! Même si nous mourons à petit feu, chaque fois que nous clignons des yeux et cessons de voir, d'entendre. Ecouter : un hyperchant de l'hypervie. Nous avons fait une révolution plus grande que nous-mêmes. Si grande qu'elle a croulé sous son propre poids. Je suis devant un cahier quadrillé, en train de me triturer la cervelle. Je goûte le café, il est délicieux, je veux dire atroce, j'aurais pu le sucrer davantage. Je cherche n'importe quel prétexte parmi les objets minuscules qui m'entourent pour ne plus penser. Ne pas m'engager dans quelque chose que je ne pourrai peut-être pas accomplir, si je n'ai pas le cran nécessaire : décrire le néant qui est mon tout. Mais là-bas la Vermine me réclame un best-seller, la pauvre. Et si je la déçois ? Et ici le Lynx n'est plus là pour approuver le roman, pour dire avec exaltation que c'est génial, qu'il faudra le publier, au péril de la vie s'il le faut. Je sais que ce ne sera pas génial. Je ne me surestime pas. Je suis un produit sémantique de très mauvais professeurs d'espagnol. Je ne me fais pas d'illusions, j'ai des doutes quand je construis de longues phrases, je ponds un baratin superflu. Je n'ai rien d'une championne de la concordance des temps, inutile de me le dire. Je devrais lire plus souvent Proust et Lezama. Je dépose un baiser sur le verre de la fenêtre du milieu et j'ai la certitude que le Lynx doit être en train de faire exactement la même chose, en face. Entouré du même océan.

J'invoque mes *orishas*, qu'ils me donnent la force. Je devrais peut-être aller me laver les dents, me coiffer, me changer. Pourquoi suis-je si cérémonieuse ? J'ai la trouille, c'est vrai. Voilà pourquoi je parle à tort et à travers. Parce que je vois maintenant des milliers de radeaux couverts de cadavres sur la mer. Parce que j'ai la peur la plus grande de la terre. Alors je papote et je papote. Pour m'empêcher de m'y mettre. Pour éviter d'avoir à commencer la phrase. Pour autocensurer les paroles, qui, comme des folles, des putes, des fées, des déesses, jaillissent en se bousculant de l'encre du stylo que mes doigts serrent. Parce qu'il y a de grands amis qui sont morts, d'autres qui sont partis, et d'autres qui sont restés. Tous là, en moi. A l'intérieur des mots, dont je ne sais plus si c'est moi qui les écris. Ces mots qui m'écrivent :

"Elle vient d'une île qui avait voulu construire le paradis. ."

TABLE

168. MICHEL TREMBLAY
Le Cœur éclaté

169. BÉATRIX BECK
Grâce

170. RAUDA JAMIS
Frida Kahlo

171. HOMÈRE
L'Iliade

172. HOMÈRE
L'Odyssée

173. RAMÓN CHAO
Un train de glace et de feu (la Mano Negra en Colombie)

174. ROBERT DOISNEAU
A l'imparfait de l'objectif

175. ALEXANDRE DUMAS
La Chasse au chastre

176. JACQUES GAILLARD
Beau comme l'antique

177. PIER PAOLO PASOLINI
Théâtre

178. JEF GEERAERTS
Black Venus

179. MICHEL TREMBLAY
La grosse femme d'à côté est enceinte

180. MICHEL TREMBLAY
Thérèse et Pierrette à l'école des Saints-Anges

181. BRAM STOKER
La Dame au linceul

182. LOUIS EDMOND DURANTY
Théâtre des marionnettes

183. EDMOND DE GONCOURT
La Faustin

184. CONRAD DETREZ
Les Plumes du coq

185. NICOLAS VANIER
Transsibérie, le mythe sauvage

186. BERBEROVA
Où il n'est pas question d'amour

187. DANIEL DEFOE
Robinson Crusoé

188. ANTON TCHEKHOV
La Mouette

189. ANTON TCHEKHOV
L'Homme des bois

190. INTERNATIONALE DE L'IMAGINAIRE N° 5
La Scène et la Terre

191. PEDRO CALDERÓN DE LA BARCA
La vie est un songe

192. ALEXANDER LERNET-HOLENIA
Le Régiment des Deux-Siciles

193. ARISTOPHANE
Les Oiseaux

194. JEAN-PIERRE FAYE ET ANNE-MARIE DE VILAINE
La Déraison antisémite et son langage, dialogue sur l'histoire et l'identité juive

195. JACQUES POULIN
Les Grandes Marées

196. SIRI HUSTVEDT
Les Yeux bandés

197. ROBERT PENN WARREN
Les Rendez-Vous de la clairière

198. JOHN BANVILLE
Le Livre des aveux

199. JOHN MILLINGTON SYNGE
Théâtre

200. ISAAC BABEL
Récits d'Odessa

201. ISAAC BABEL
Chroniques de l'an 18

202. FÉDOR DOSTOÏEVSKI
La Logeuse

203. PACO IGNACIO TAIBO II
Sentant que le champ de bataille…

204. FRÉDÉRIC JACQUES TEMPLE
Un cimetière indien

205. INTERNATIONALE DE L'IMAGINAIRE N° 6
Le Liban second

206. SHERIDAN LE FANU
Carmilla

207. ANDRÉE CHEDID
La Femme de Job

208. DANIEL ZIMMERMANN
Nouvelles de la zone interdite

209. NAGUIB MAHFOUZ
Le Voleur et les Chiens

210. MOHAMMED DIB
Au café

211. AMADOU HAMPÂTÉ BÂ
Oui mon commandant !

212. NANCY HUSTON
La Virevolte

213. FRANÇOIS POIRIÉ
Emmanuel Lévinas

214. MATTHEW G. LEWIS
Le Moine

215. ROY LEWIS
Pourquoi j'ai mangé mon père

216. RUSSELL BANKS
Sous le règne de Bone

217. BARBARA GLOWCZEWSKI
Les Rêveurs du désert

218. GEORGE SAND
Mademoiselle Merquem

219. JACQUES POULIN
La Tournée d'automne

220. SIR JOHN HUNT
Victoire sur l'Everest

221. MICHEL TREMBLAY
Un ange cornu avec des ailes de tôle

222. MURIEL CERF
Une passion

223. PHILIPPE DE LA GENARDIÈRE
Legs

224. YING CHEN
La Mémoire de l'eau

225. DOMINIQUE ROLIN
L'Infini chez soi

226. ISABELLE EBERHARDT ET VICTOR BARRUCAND
Dans l'ombre chaude de l'islam

227. MADISON SMARTT BELL
Save me, Joe Louis

228. POLIDORI
Le Vampire

229. BETTINA LAVILLE ET JACQUES LEENHARDT
Villette-Amazone

230. TAYEB SALIH
Saison de la migration vers le Nord

231. FÉDOR DOSTOÏEVSKI
Crime et Châtiment, vol. 1

232. FÉDOR DOSTOÏEVSKI
Crime et Châtiment, vol. 2

233. WILLIAM SHAKESPEARE
Hamlet – Macbeth

234. CLAUDE PUJADE-RENAUD
La Danse océane

235. CLAUDE PUJADE-RENAUD
Martha ou le Mensonge du mouvement

236. JEAN-MARC DUROU
L'Exploration du Sahara

237. FRÉDÉRIC H. FAJARDIE
Des lendemains enchanteurs

238. JAN VALTIN
Sans patrie ni frontières

239. BERNAL DÍAZ DEL CASTILLO
La Conquête du Mexique

240. EMMANUEL KANT
La Fin de toutes choses

241. HELLA S. HAASSE
Un goût d'amandes amères

242. THÉOPHILE GAUTIER
Les Mortes amoureuses

243. *
Contes d'Asie Mineure
recueillis par Calliopi Moussaiou-Bouyoukou

244. JEAN-LUC OUTERS
L'Ordre du jour

246. CLAUDE PUJADE-RENAUD
Belle Mère

247. ISAAC BABEL
Cavalerie rouge / Journal de 1920

248. VICTOR HUGO
Lucrèce Borgia

249. MARQUIS DE SADE
Lettres à sa femme

250. JACQUES BERQUE
Les Arabes / Andalousies

251. ZOÉ VALDÉS
Le Néant quotidien

252. EILHART VON OBERG
Tristan et Iseut

253. ROLAND DORGELÈS
Route des tropiques

254. MICHEL TREMBLAY
Douze coups de théâtre

255. PAUL AUSTER
Smoke / Brooklyn Boogie

256. MOHAMMED DIB
Le Talisman

257. ASSIA DJEBAR
Les Alouettes naïves

258. VINCENT BOREL
Un ruban noir

259. RENÉ DESCARTES
La Recherche de la vérité

260. GEORGES-OLIVIER CHÂTEAUREYNAUD
Les Messagers

261. HENRY JAMES
Le Motif dans le tapis

262. JACQUES GAILLARD
Rome, le temps, les choses

263. ROBERT LOUIS STEVENSON
L'Etrange Affaire du Dr Jekyll et de Mr Hyde

264. MAURICE MAETERLINCK
La Mort de Tintagiles

265. FRANÇOISE DE GRUSON
La Clôture

266. JEAN-FRANÇOIS VILAR
C'est toujours les autres qui meurent

267. DAGORY
Maison qui pleure

268. BRAM STOKER
Dracula

269. DANIEL GUÉRIN
Front populaire, révolution manquée

270. MURIEL CERF
Le Diable vert

271. BAPSI SIDHWA
La Fiancée pakistanaise

272. JEAN-PIERRE VERHEGGEN
Le Degré Zorro de l'écriture

273. JOHN STEINBECK
Voyage avec Charley

274. NINA BERBEROVA
La Souveraine

275. JOSEPH PÉRIGOT
Le Dernier des grands romantiques

276. FRÉDÉRIC H. FAJARDIE
Gentil, Faty !

277. FÉDOR DOSTOÏEVSKI
L'Eternel Mari

278. COMTESSE DE SÉGUR
Les Malheurs de Sophie / Les Petites Filles modèles / Les Vacances

279. HENRY BAUCHAU
Diotime et les lions

280. ALICE FERNEY
L'Elégance des veuves

281. MICHÈLE LESBRE
Une simple chute

282. JEAN-PIERRE BASTID
La Tendresse du loup

283. ADRIEN DE GERLACHE DE GOMERY
Quinze mois dans l'Antarctique

284. MICHEL TREMBLAY
Des nouvelles d'Edouard

285. FRANZ KAFKA
La Métamorphose / La Sentence / Le Soutier et autres récits (vol. I)

286. JEAN-MICHEL RIBES
Monologues, bilogues, trilogues

287. JACQUES LEENHARDT / ROBERT PICHT
Au jardin des malentendus

COÉDITION ACTES SUD – LABOR – LEMÉAC

Ouvrage réalisé
par les Ateliers graphiques Actes Sud.
Achevé d'imprimer
en avril 1999
par Bussière Camedan Imprimeries
à Saint-Amand-Montrond (Cher)
sur papier des
Papeteries de Jeand'heurs
pour le compte
d'ACTES SUD
Le Méjan
Place Nina-Berberova
13200 Arles.

N° d'éditeur : 2572
Dépôt légal
1re édition : septembre 1997
N° impr. : 991915/1